Mi primera enciclopedia de
ANIMALES

Empieza a descubrir
el maravilloso reino animal

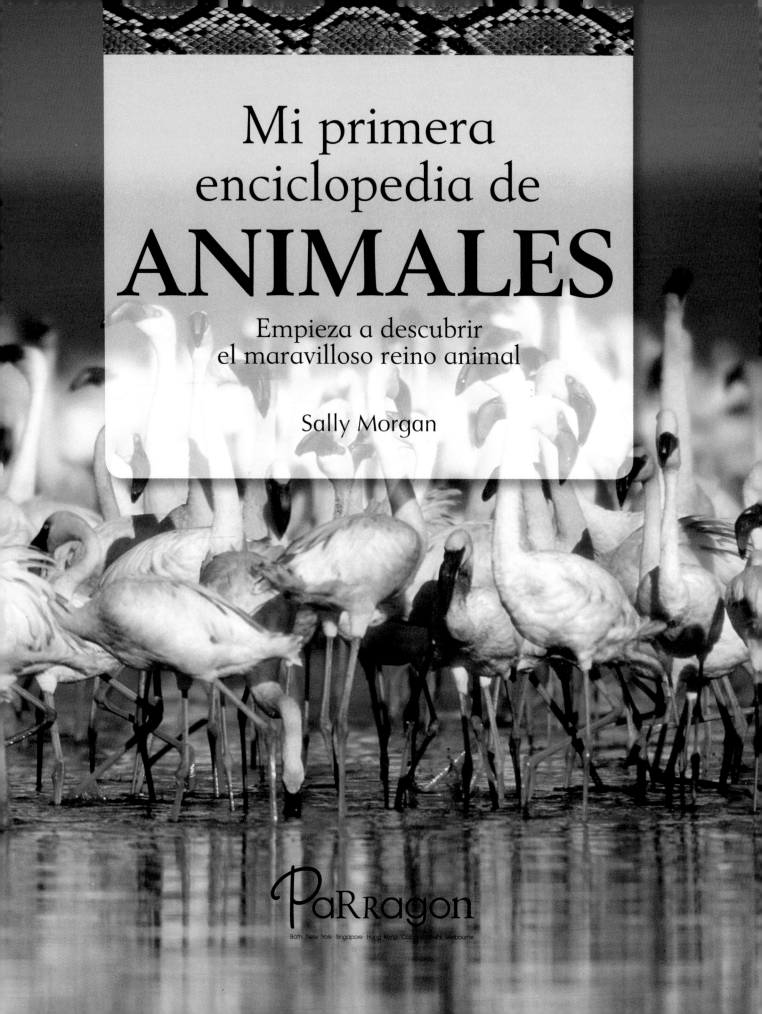

Mi primera
enciclopedia de
ANIMALES

Empieza a descubrir
el maravilloso reino animal

Sally Morgan

Parragon

Bath New York Singapore Hong Kong Cologne Delhi Melbourne

Autor: Sally Morgan
Asesor: Mandy Holloway
Producción: Tall Tree Ltd., Londres

Primera edición de Parragon en 2007

Traducción del inglés: Maria Pearce
para Equipo de Edición S.L., Barcelona
Redacción y maquetación: Equipo de Edición S.L., Barcelona

ISBN: 978-1-4075-2604-1

Impreso en Malasia
Printed in Malaysia

Contenído

Introducción

Existen animales en todos los rincones del mundo, desde las cálidas selvas tropicales hasta los gélidos polos, y desde las cumbres más altas hasta los océanos más profundos.

Con este libro conocerás el sorprendente mundo de los animales, los distintos lugares donde viven y cómo sobreviven en su entorno natural. También averiguarás cuántas especies están amenazadas y qué podemos hacer para ayudarlas.

Al final del libro hay un capítulo donde podrás comparar los distintos tipos de animales, un glosario que te ayudará a entender las palabras más difíciles y un listado de páginas web donde encontrarás más información sobre los animales y sus hábitats.

El reino animal

Existe más de un millón y medio de tipos distintos, o especies, de animales en el mundo, y aún quedan millones por descubrir. Los animales se presentan de múltiples formas, tamaños y colores. Habitan en muchos lugares diferentes y se comportan de los modos más diversos. El animal más grande es la gigantesca ballena azul, pero también hay animales tan pequeños como minúsculas motas de polvo.

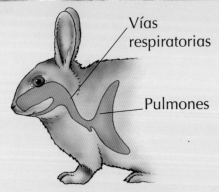

Vías
respiratorias

Pulmones

La respiración

Muchos animales
respiran mediante
pulmones. Al inspirar,
el aire entra hasta éstos
por las vías respiratorias.

Rasgos anímales

Los animales pueden parecer muy
distintos, pero en muchos aspectos son
similares. Todos respiran, se alimentan
y crecen. La mayoría de los animales
tiene sentidos, así que pueden ver, oler,
oír, saborear y tocar lo que tienen a su
alrededor.

La alimentación

Las plantas pueden fabricar su propio
alimento, pero los animales tienen
que buscarse la comida. Los animales
que comen plantas se llaman
herbívoros, mientras que los que
comen otros animales se llaman
carnívoros.

Esta garza es carnívora.
Se alimenta de pequeños
animales como los peces.

El movimiento

Los animales se mueven de distintos modos. Caminan por la tierra, vuelan por el aire o nadan en el agua. Se mueven para buscar alimento, huir o encontrar pareja.

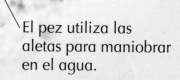

El pez utiliza las aletas para maniobrar en el agua.

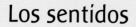

La reproducción

Los animales crían de muchas maneras. Algunos paren directamente a las crías, mientras que otros, como las aves y los reptiles, ponen huevos de los cuales saldrán las crías.

Los sentidos

Los animales usan los sentidos de la vista, el oído, el olfato, el gusto y el tacto para cazar, alimentarse, defenderse y percibir el mundo. Los búhos, por ejemplo, tienen los ojos grandes, lo que les permite cazar de noche.

Las partes del cuerpo

Los animales se pueden dividir en dos grupos. Uno de los grupos es el de los animales que tienen columna vertebral y se llaman vertebrados. La columna vertebral es como un palo rígido que recorre el dorso del cuerpo. El otro grupo es el de los invertebrados, que no tienen columna vertebral.

Estos huesos son del esqueleto de un pájaro.

Cráneo

Esqueletos

Los peces, los anfibios, los reptiles y las aves son todos vertebrados. Sus huesos forman el esqueleto. El esqueleto sirve de sostén para el cuerpo y los músculos para moverse.

Las medusas

Las medusas son invertebrados que viven en el agua. Cuando se les saca del agua se desmoronan como si fueran un trozo de gelatina blandengue.

Protegidos por un caparazón

El caracol es un invertebrado que tiene un caparazón que proteje su blando cuerpo. El caracol se desplaza mediante su gran pie.

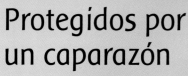

El pie del caracol recorre toda la parte inferior de su cuerpo.

Columna vertebral

Armadura resistente

Los cangrejos son invertebrados y pertenecen al grupo de animales llamados artrópodos, que están protegidos por una dura cubierta o exoesqueleto. Entre los artrópodos encontramos también a los insectos, las arañas y las langostas.

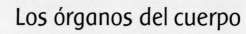

Los órganos del cuerpo

Un órgano es una parte del cuerpo que tiene una función especial. Por ejemplo, los ojos se utilizan para ver y el corazón bombea la sangre por todo el cuerpo. Al igual que el de otros animales, el cuerpo humano contiene muchos órganos, como el corazón, el hígado, los pulmones y el cerebro entre otros.

Cerebro

Corazón

Pulmones

Hígado

Estómago

Intestinos

El comportamiento

Todo lo que hace un animal
es parte de su comportamiento.
Algunos comportamientos deben
aprenderse, bien observando a los padres
o bien simplemente probando.

La comunicación mediante el sonido

Muchos animales se comunican mediante sonidos.
Un animal como el león o el lobo utiliza el sonido
para decirles a sus rivales que se alejen
o para atraer a la pareja.

Los lobos aúllan
para comunicarse
entre sí.

El uso del color

Algunos animales tienen
colores vivos para atraer
a la pareja. El pavo real
macho tiene una llamativa
cola de plumas de colores
que extiende como si fuese
un abanico. Las hembras
escojen al macho con la
cola más vistosa.

14

El aprendizaje

Los chimpancés han aprendido a utilizar herramientas sencillas. Introducen palos largos en los termiteros, las termitas se agarran al palo y luego el chimpancé se las come.

La caza

Los cachorros de león aprenden a cazar imitando a sus madres. Cuando tienen un par de años ya están preparados para cazar solos.

La convivencia

Los animales que viven en grandes grupos pueden cazar en equipo y protegerse los unos a los otros. Muchos peces nadan en grandes grupos llamados bancos de peces. Todo los peces del banco nadan juntos, como si fueran uno sólo.

15

Ciclos vitales

Los animales paren o ponen huevos para tener crías; a esto se le llama reprodución. Las crías crecen, tienen sus propias crías y luego se mueren. Esto es lo que llamamos el ciclo vital.

Anfibios

Las ranas pertenecen al grupo de los anfibios. Ponen los huevos en el agua, formando una masa de minúsculos huevos negros recubiertos por una especie de gelatina.

Las aves

Las aves ponen huevos. Los huevos tienen que mantenerse calientes mientras crecen los polluelos en su interior. Cuando el polluelo está listo para salir del huevo, emplea un diente especial que tiene en la punta del pico para romper el caparazón.

Las hidras y la gemación

La hidra es un animal sencillo que vive en el agua. Se reproduce por un método que se llama gemación que significa que crea una hidra nueva, idéntica a ella misma, de una yema que aparece en el lateral de su cuerpo. La yema crece hasta que finalmente se desprende y forma una nueva hidra.

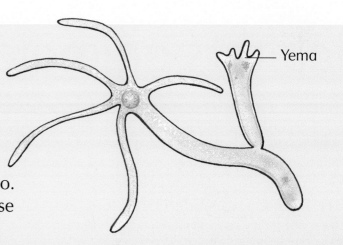

Yema

Alimentarse de leche

Las crías de los mamíferos se desarrollan en el vientre de la madre, y tras su nacimiento ésta las alimenta con su leche.

Las ovejas son mamíferos que alimentan a sus crías con leche.

Una larga vida

Algunos animales viven tan sólo unos pocos días, mientras que otros viven muchos años. Los elefantes, por ejemplo, crecen muy despacio y viven durante mucho tiempo. Algunos alcanzan los 80 años.

Hábitats animales

El lugar donde vive un animal es su hábitat. El habitat está formado por la comunidad o conjunto de plantas y animales. Existen muchos tipos distintos de hábitats, tales como las montañas, los mares o las ciudades.

El mar

El mar es el hábitat más grande del mundo. Hay océanos profundos y aguas menos hondas cerca de las costas. Los animales que habitan en el mar están adaptados al agua salada.

La vida en las montañas

Las condiciones en las montañas cambian con la altitud. Cerca de los picos hace frío, mucho viento y viven pocos animales. Más abajo, hay prados y bosques donde vive la mayoría de los animales.

Las ciudades

Muchos animales se han desplazado a los pueblos y ciudades. Los pájaros anidan en árboles y edificios, mientras que las ardillas y los zorros frecuentan parques y jardines.

El agua dulce

Los lagos y ríos albergan muchos tipos de animales que están habituados a la vida en agua dulce, la cual contiene muy poca sal. Aquí hallamos ranas, peces y caracoles acuáticos.

Una pila de leña ofrece a los animales muchos rincones oscuros para vivir.

Hogares en el bosque

Los bosques están llenos de árboles que ofrecen a los animales muchos lugares para vivir y abundante comida. Incluso en una pila de leña pueden vivir muchos animales como babosas, ciempiés, cochinillas, ratones y serpientes.

Cadena alimentaria

Todos los animales dependen de otros seres vivos para alimentarse. Unos comen plantas y otros cazan animales que comen plantas. A esto se le llama cadena alimentaria, que siempre empieza por las plantas.

Los animales que sólo comen plantas, como los antílopes, se llaman herbívoros.

Plantas

Las plantas son capaces de fabricar su propio alimento aprovechando la energía del sol. Este alimento lo almacenan en las hojas, por lo que las plantas están llenas de cosas buenas para los animales que las comen.

Herbívoros

Los animales que comen plantas son los primeros en la cadena alimentaria. En las planícies africanas, por ejemplo, las grandes manadas de antílopes se alimentan de hierba, mientras que las jirafas comen hojas de los árboles.

20

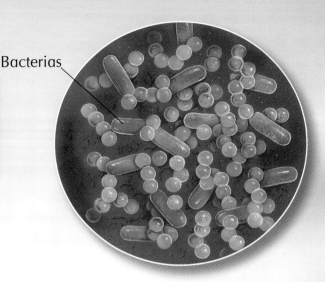
Carnívoros

Los herbívoros son cazados por los animales que comen carne, los carnívoros. Los leones y leopardos son carnívoros que cazan antílopes y otros animales que pastan.

Los animales que cazan, como los leopardos, se llaman depredadores.

Reciclar los deperdicios

Las bacterias descomponen los restos de los animales muertos incorporándolos a la tierra para que los aprovechen las plantas.

Naturaleza en peligro

A veces los hábitats sufren catástrofes naturales como las sequías o los incendios. Hoy en día, sin embargo, el hombre ocasiona muchos daños. Los bosques son talados, las praderas aradas y la tierra, el aire, los ríos y los océanos contaminados.

La tala de árboles

Cada año se talan millones de árboles, para construir casas o para la agricultura. Esta práctica destruye los hábitats de los animales y sus alimentos.

Pesca abusiva

Cuando los pescadores pescan demasiados peces, algunos animales como las focas, las aves marinas, las ballenas y los delfines pasan hambre.

Vertidos de petróleo

El petróleo se transporta por todo el mundo en grandes buques llamados petroleros. En ocasiones ocurren accidentes y el petróleo es vertido al mar donde aves marinas y otros animales mueren.

Las aves marinas que están recubiertas de petróleo no flotan y se ahogan rápidamente.

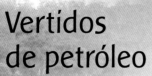

¿SABÍAS QUE...?

Las selvas tropicales del mundo se están talando a tal velocidad que en tan sólo 40 años podrían haber desaparecido por completo.

Cambio climático

Cuando se queman combustibles se liberan gases a la atmósfera. Se cree que estos gases están cambiando el clima de la Tierra y aumentando las temperaturas. Esto es lo que llamamos calentamiento global.

El calentamiento global puede dañar los hábitats y matar a los animales que no pueden sobrevivir en las nuevas condiciones.

La vida terrestre

Existen muchos hábitats diferentes sobre la tierra. Los bosques son lugares donde crecen muchos árboles juntos. Las praderas tienen muchas hierbas y pocos árboles. Los desiertos son los lugares más secos del mundo, mientras que los polos en ambos extremos del mundo son los hábitats más fríos.

La selva tropical

Las selvas tropicales son lugares extraordinarios. Se encuentran en zonas calurosas y húmedas del mundo, cercanas al ecuador, la región central de la Tierra. Los árboles crecen muy juntos y llega muy poca luz al suelo del bosque.

El techo del bosque

Las copas de los árboles forman el dosel, el techo de la selva que puede estar a entre 25 y 30 m del suelo.

Las pitones se enroscan alrededor de una rama cuando están descansando.

¿SABÍAS QUE...?

Más de la mitad de los animales del mundo viven en las selvas tropicales. Aún quedan muchos tipos de animales por descubrir en estos bosques.

Cazando en los árboles

La pitón es tan sólo uno de los muchos tipos de serpiente que se pueden encontrar en la selva. Las pitones se esconden en las ramas esperando a que pase una presa.

El sotobosque

A nivel del suelo de la selva crecen pocas plantas, porque está demasiado oscuro. El suelo está cubierto de una capa de hojarasca y frutos caídos.

Raíces en el aire

Algunas plantas no crecen en la tierra sino sobre otras plantas, y sus raíces cuelgan en el aire. A estas plantas se les llama epifitas. Algunas de ellas tienen flores muy coloridas que atraen a pájaros e insectos.

En la selva tropical

Las plantas en la selva crecen a cuatro niveles. Sólo unos pocos árboles altísimos sobresalen del dosel. Justo por debajo del dosel encontramos árboles de menor altura y arbustos. Debajo encontramos el sotobosque.

Árboles de mayor altura

Dosel

Árboles de menor tamaño y arbustos

Sotobosque

La vida en el dosel

La mayoría de los animales de la selva viven en el dosel. Han aprendido a desplazarse de árbol en árbol y saben dónde encontrar alimentos y agua. Algunos no pisan nunca el suelo.

Simio naranja

Los orangutanes tienen los brazos y las piernas muy largos. Sus dedos tienen forma de gancho para agarrarse mejor a las ramas cuando trepan por los árboles en busca de fruta.

¿SABÍAS QUE…?

Aunque la mayoría de los camaleones comen insectos, hay algunas especies lo bastante grandes como para cazar pájaros.

Pico de colorines

El tucán se alimenta de fruta. Utiliza su largo pico para alcanzar los frutos que crecen en los extremos de las ramas pequeñas.

28

Este saltamontes es verde para esconderse mejor entre las hojas.

Los insectos en el dosel

En el dosel hay muchos tipos de insectos que comen hojas. A su vez, hay animales más grandes, como pájaros o lagartijas, que se alimentan de insectos.

Pico duro

El guacamayo escarlata tiene un poderoso pico en forma de gancho que emplea para cascar frutos secos y una garra para trepar por los trocos de los árboles.

Los camaleones cazan insectos con sus lenguas larguísimas.

Camuflaje inteligente

Los camaleones pueden cambiar el color de su piel para fundirse con los colores de las hojas. Esto es lo que se llama camuflarse y hace que los animales sean difíciles de ver.

Mantenerse en contacto

Las selvas tropicales son sitios muy ruidosos.
Los árboles tapan gran parte de la luz solar,
por lo que está muy oscuro.
Por ello los animales tiene
dificultades para
verse y para
compensar, se
comunican.

Las cigarras
producen ruido al
hacer vibrar unos trozos
finos de caparazón que
funcionan como tambores.

Cigarras ruidosas

Las cigarras son unos
insectos que hacen un
ruido ensordecedor.
Hacen este ruido cuando
cambia el tiempo,
cuando van a aparearse,
o si alguien les molesta.

Monos que aúllan

El mono aullador es el
animal terrestre más ruidoso.
Su grito retumbante se puede
escuchar a casi 5 km.

Coro de ranas

La mayoría de las ranas de la selva son activas durante la noche, cuando se pueden escuchar sus cantos. El macho croa para atraer a las hembras.

Cuando una rana arborícola de ojos rojos empieza a croar, las que están a su alrededor lo hacen también.

Canto de aves

Las aves cantan por muchos motivos, para alejar o atraer a otros pájaros. Cada tipo de pájaro tiene su propio canto. El de la cacatúa, se compone de gritos y silbidos.

31

Desplazarse

Los animales de la selva tropical
tienen muchas formas de
desplazarse por el dosel.
Algunos corren por las ramas
y saltan de árbol en árbol.
Otros se columpian de rama
en rama con sus brazos y cola.

El lento

El perezoso se mueve tan lentamente
que en su pelo crecen musgos y
algas. Esto le da un colorido un tanto
verdoso, por lo que se oculta mejor
entre los árboles.

La cola del mono araña
es tan fuerte que puede
aguantar todo el peso
del animal.

Agarrarse
con la cola

El mono araña tiene una
cola larga prensil que
emplea como si fuese un
brazo adicional. Este mono
enrolla la cola alrededor de
las ramas y así se columpia
con mayor facilidad entre
los árboles.

¿SABÍAS QUE...?

Los perezosos
pasan la mayor
parte del tiempo
colgados boca
abajo de una
rama. Duermen
15 horas al día.

32

Los gibones se columpian primero de un brazo y luego del otro.

Columpiarse

Algunos animales como los gibones y los monos araña pueden columpiarse entre los árboles porque tienen los hombros muy flexibles. Con este movimiento pueden desplazarse con gran rapidez, de hecho, pueden ir más rápidos por los árboles que los humanos por el suelo.

Serpientes que se deslizan

Las serpientes van de una rama a otra alargando la cabeza y agarrándose con la cola. Se deslizan por las ramas en busca de pájaros, reptiles y mamíferos para alimentarse.

El sotobosque

El suelo de la selva tropical es sombrío y húmedo, cubierto por hojarasca. Hay pocas plantas que puedan vivir con tan poca luz.

Hojas en descomposición

El suelo de la selva está cubierto por hojarasca en descomposición. Como hace calor y hay mucha humedad, las hojas se pudren enseguida.

El tapir

El tapir es uno de los animales más grandes que habita en el sotobosque. Es un animal parecido al cerdo pero con el hocico alargado y carnoso. Vive en los bosques tropicales de Malasia y Sudamérica.

Los tapires usan su largo hocico para detectar husmeando frutos caídos y otros alimentos.

¿SABÍAS QUE...?

La hormiga cortadora de hojas puede cargar casi 10 veces su propio peso. ¡Como si un hombre levantara un coche pequeño hasta su cabeza!

Un gato grande

El jaguar es un gran cazador que devora pájaros, tapires e incluso cocodrilos. Las manchas de su pelaje le ayudan a ocultarse en el sotobosque.

Las hormigas cortadoras de hojas hacen crecer un hongo sobre las hojas, que luego se comerán.

Cortadoras de hojas

Las hormigas cortadoras de hojas usan las mandíbulas para cortar trozos de hojas que llevan a sus hormigueros. En la selva se puede ver largas hileras de estos insectos que van desde las copas de los árboles hasta los hormigueros en el suelo.

35

El tigre

El tigre es el más grande de todos los felinos. Es un poderoso cazador que devora cerdos, ciervos y crías de elefante. Por desgracia, cada vez hay menos porque se está destruyendo su hábitat y son cazados por su piel y sus huesos.

Caninos

Colmillos afilados

Los dientes afilados de la parte delantera de la boca del tigre se llaman caninos y miden unos 10 cm. Los tigres usan los caninos para capturar y desgarrar a sus presas.

El tigre siberiano

El tigre siberiano es el más grande de todos los tigres. Se encuentra en las montañas en la frontera entre Rusia y China. Tiene el pelaje más grueso que otros tigres para poder resistir el frío clima de su hábitat.

Casi la mitad de todos los tigres que quedan en la naturaleza son tigres de Bengala.

El tigre de Bengala

Algunos tigres de Bengala tienen el pelaje blanco con rayas claras. El macho mide unos 3 m de largo y puede alcanzar los 225 kg, o el equivalente a tres personas adultas.

Crías de tigre

Una tigresa puede parir dos o tres crías, que se quedan con su madre unos 18 meses hasta que aprenden a cazar por su cuenta.

Sobre el tigre:

🐾 Los tigres se pueden encontrar en India, Nepal, China, Sudeste asiático y Rusia oriental.

🐾 En la naturaleza, los tigres viven unos 15 años; en los zoológicos, pueden vivir mucho más.

🐾 Quedan entre 5.000 y 7.500 tigres en libertad.

37

La sabana

Una pradera es una zona extensa de terreno llano cubierto de hierba. Las praderas cálidas, o sabanas, se encuentran en África, Sudamérica y Australia. Durante los meses secos las hierbas amarillean pero cuando llueve se vuelven verdes otra vez.

¿SABÍAS QUE...?

A menudo se dice que la hiena ríe porque hace un ruido parecido a la risa humana.

Un mar de hierba

Algunas de las hierbas que crecen en la sabana son más altas que las personas. Sólo hay unos cuantos árboles, como acacias y baobabs. La mayoría de los árboles jóvenes son comidos antes de que puedan crecer.

Hienas quebrantahuesos

La hiena manchada es un cazador que vive en la sabana africana. Posee unas mandíbulas fuertes y dientes enormes que rompen los huesos de sus presas como si fueran palillos.

La gran migración

Cada año, enormes manadas de cebras y ñus emprenden largos viajes en busca de hierba fresca; a esto se le llama migración. La migración es peligrosa ya que los animales tienen que enfrentarse a ríos bravos y depredadores como los cocodrilos.

Las suricatas vigilan atentamente por si aparece algún depredador como una serpiente o un chacal. ────

En guardia

Las suricatas viven en madrigueras en la sabana, en el sur del continente africano. Cada miembro de la manada tiene un papel; algunos cuidan o enseñan a las crías más pequeñas, mientras que otros son guardianes o cazadores.

Animales que pastan

La hierba en las llanuras de la sabana atrae a muchos herbívoros, o animales que pastan. Cuando escasean los alimentos y el agua, los animales se agrupan en enormes manadas.

La jirafa

La jirafa tiene el cuello y las patas largas, esto le permite comerse las hojas de las copas de los árboles, donde los demás animales no alcanzan.

Los impalas

Los impalas son herbívoros que viven en pequeñas manadas. Les encantan los brotes tiernos de hierba, que aparecen tras las lluvias.

Un único dedo

Las cebras tienen patas largas que acaban en una pezuña recubierta por una especie de uña dura llamada casco.

Casco

Estómago grande

Intestinos

Rumiar

Los herbívoros se tragan la comida rápido, ésta se queda un rato en el estómago y luego la devuelven a la boca y la mastican. A esto se le llama rumiar, y les ayuda a digerir las hierbas duras.

Abrevaderos

Los abrevaderos son charcas de agua en la sabana. Tienen mucha importancia porque son la única fuente de agua de donde pueden beber los animales durante la estación seca, cuando no llueve.

Los depredadores

En la sabana viven muchos animales que cazan para subsistir, los llamados depredadores. Les atraen las manadas de herbívoros. Entre los depredadores encontramos a los leopardos, los leones, las rapaces y los guepardos.

A gran velocidad

El guepardo es el corredor más rápido del mundo. Su cuerpo esbelto y las largas patas son ideales para alcanzar grandes velocidades.

Trabajo de equipo

Los leones cazan en manada. Algunos aguardan al acecho, mientras que otros espantan a la presa hacia ellos. Al cazar juntos son capaces de capturar y abatir animales grandes como los ñus.

Los guepardos utilizan la cola
para mantener el equilibrio
cuando corren a toda velocidad.

Aves rapaces

Las aves rapaces
buscan su presa
mientras vuelan a
gran altura. Cuando
ven algo comestible,
descienden en picado
y atacan con las
garras y el pico.

Cazar en grupo

Los licaones, o perros
salvajes africanos,
viven en grandes grupos
llamados manadas.
Cazan en grupo y
se turnan en las
persecuciones para
agotar a la presa
antes de capturarla.

Las termitas

Las termitas son unos pequeños insectos que viven en grupos enormes llamados colonias. Construyen unos nidos gigantes que se extienden tanto por encima del suelo como por debajo.

Las termitas obreras que construyen el nido son ciegas.

Las termitas obreras

La mayoría de las termitas de una colonia son obreras, es decir, las que se ocupan de construir el nido y buscar la comida. Tan sólo miden unos milímetros y son blanquecinas.

Sobre las termitas:

- Existen más de 2.000 especies o tipos distintos de termitas.

- Las obreras pasan la mayor parte de su vida bajo tierra y en el nido.

- Las termitas construyen el nido en la arcilla, la tierra o la madera que mezclan con la saliva.

- Pueden causar grandes daños en los edificios si se comen la madera.

44

Chimeneas imponentes

Las termitas viven en grandes nidos llamados termiteros. Algunos termiteros alcanzan varios metros de altura y están diseñados de tal forma que el aire puede circular por ellos y mantenerlos frescos.

El interior de un termitero tiene miles de túneles y galerías.

Termitas para comer

Algunos animales se alimentan de termitas y pueden consumir miles de ellas en un día. Entre otros, encontramos este abejaruco carmesí.

Dentro del termitero

Además de ser muy altos, los termiteros penetran profundamente en la tierra, con toda una serie de galerías subterráneas donde la termita reina pone sus huevos y las obreras almacenan la comida.

45

Carroñeros

Los animales que se alimentan de restos de animales muertos se llaman carroñeros. En la sabana encontramos el buitre, el chacal y el escarabajo pelotero.

Los chacales siguen a los leones y se comen cualquier resto de carne que éstos hayan dejado en el cadáver.

Ladrones de comida

Algunos depredadores, como el chacal, también son carroñeros. Han descubierto que es más fácil comer animales muertos, o robar la presa de otro depredador, que matar ellos mismos a la presa.

Buitres

Los buitres son capaces de ver un animal muerto que yace en el suelo desde gran altura. Planean hasta él y pronto acuden otros muchos buitres en busca de algún resto comestible.

46

Barriendo para casa

Los escarabajos peloteros emplean su olfato para encontrar estiércol fresco. Hacen una pelota con el estiércol y lo llevan a un agujero en la tierra junto a sus huevos. Las crías del escarabajo se alimentan del estiércol cuando salen del huevo.

Mantenerse limpio

La cabeza y el cuello de los buitres están recubiertos por unas plumas muy cortas o bien carecen de ellas. Esto les permite introducir la cabeza dentro del cadáver sin mancharse de sangre sus plumas largas.

Los buitres poseen picos afilados para arrancar la carne de los cadáveres.

47

Los desiertos

Los desiertos son lugares donde llueve muy poco. En algunos hace mucho calor y en otros frío. Los animales que viven en el desierto están adaptados a condiciones muy secas.

Las dunas

Las dunas las forma el viento al amontonar la arena. Algunos animales se entierran en las dunas para protegerse del frío y del calor.

¿SABÍAS QUE...?

El desierto caluroso más grande del mundo es el Sáhara, en el norte de África. Su extensión es casi tan grande como los Estados Unidos.

El Atacama

El centro del desierto de Atacama en Sudamérica es el lugar más seco de la Tierra. En algunas partes no ha llovido en siglos. Los animales que habitan en él sólo se encuentran cerca de la costa donde hay agua.

Norteamérica

Los desiertos de Norteamérica presentan muchas más plantas que otros desiertos. Encontramos, entre otras, algunos pequeños arbustos y cactus. Algunos animales hacen sus nidos en los cactus o se alimentan de sus flores y frutos.

El cactus almacena agua dentro de su tallo.

Desiertos fríos

La Antártida está en el Polo Sur. Es el lugar más frío de la Tierra, pero llueve y nieva tan poco que esta región se considera un desierto. A pesar de ello, muchos animales, como las ballenas, los pingüinos y las focas, visitan la Antártida para alimentarse y criar durante los meses de verano.

Langostas

Las langostas vuelan en enormes grupos llamados enjambres. Salen del desierto y arrasan las cosechas.

Desiertos calurosos

En la mayoría de los desiertos hace calor durante el día y mucho frío por la noche, por lo que los animales se refugian bajo los arbustos o en agujeros bajo tierra.

Las grandes orejas del zorro orejudo son muy eficaces a la hora de oír a las presas corretear por la arena.

Cazador nocturno

Los zorros orejudos duermen en madrigueras durante el día para escapar del calor del desierto. Salen a cazar de noche cuando hace más fresco.

50

Los gecos

Los gecos son pequeñas lagartijas. Corren de puntillas para que no les queme la arena del desierto.

El geco se lame los ojos para que no se le sequen.

Los científicos han descubierto restos de escorpiones gigantes que medían más de 1 metro y medio. Estos monstruos prehistóricos vivieron hace más de 330 millones de años.

La picadura de algunos escorpiones puede matar a una persona.

Los escorpiones

Algunos escorpiones viven en los desiertos. Son animales nocturnos, lo que significa que son activos durante la noche. Emboscan a sus presas y les pican antes de comérselas.

Reptiles

Los reptiles son animales que tienen la piel escamosa, como las serpientes y los lagartos. Esta piel evita que sus cuerpos pierdan demasiada agua en las secas condiciones del desierto.

Diablillos espinosos

Estos lagartos de aspecto extraño habitan en los desiertos de Australia. Sus cuerpos están recubiertos de espinas muy afiladas, que les protegen de los depredadores.

La tortuga del desierto

Las tortugas del desierto obtienen agua de las plantas que comen. Almacenan el agua en el cuerpo y la utilizan cuando no encuentran plantas que comer.

Las tortugas tienen un grueso caparazón que les protege de los depredadores.

Serpientes de cascabel

Las serpientes de cascabel son reptiles venenosos que tienen un cascabel en el extremo de la cola. Cuando se sienten amenazados lo agitan para avisar a otros animales. Cuando muerden, sus afilados colmillos inyectan el veneno, que mata o paraliza a la presa.

Movimiento lateral

Las serpientes de cascabel son serpientes que pueden moverse por la arena caliente sin quemarse. Se desplazan lateralmente de tal modo que sólo algunos puntos de su cuerpo tocan la arena, dejando un rastro característico.

Huellas

Camello

El camello es un experto en la supervivencia en el desierto. Puede pasar dos semanas sin beber e incluso puede beber agua salada, lo que mataría a otros animales.

Una joroba

Los dromedarios viven en los calurosos desiertos de África y Oriente Próximo. Tienen una sola joroba en el lomo.

Sobre el camello:

🐾 Las pezuñas del camello son grandes y anchas, ideales para andar por el desierto ya que no se hunden en la arena.

🐾 Muchas personas creen que la joroba del camello está llena de agua, pero en realidad contiene grasa. El camello utiliza esta grasa cuando no encuentra suficiente comida.

Los camellos bactrianos tienen un espeso manto para no pasar frío.

Dos jorobas

Los camellos bactrianos tienen dos jorobas. Habitan en los desiertos fríos de China y Asia Central.

Las orejas del camello están recubiertas de pelos gruesos para que no les entre la arena.

Protección para el desierto

El camello tiene unos párpados largos para proteger sus ojos del sol y de la arena que levanta el viento. Es capaz de cerrar por completo los orificios nasales para que la arena no pueda entrar.

55

Pastizales templados

Los pastizales que se encuentran en las zonas menos cálidas de la Tierra se llaman pastizales templados. Estas regiones son cálidas en verano y pueden estar cubiertas de nieve en invierno.

¿Qué se esconde tras el nombre?

Los pastizales templados reciben diferentes nombres en distintas partes del mundo. En Norteamérica se llaman praderas, en Sudamérica, pampas y en Asia se conocen con el nombre de estepas.

Manadas de animales

Algunos herbívoros viven en manadas numerosas en los pastizales, por ejemplo el berrendo, un tipo de antílope que vive en Norteamérica.

Púas afiladas

El puercoespín está recubierto de miles de pinchos afilados llamados púas. Cuando es atacado, le da la espalda al enemigo y levanta las púas para protegerse.

Las púas del puercoespín se desprenden con facilidad y quedan clavadas en el agresor.

Depredadores de la pradera

En la pradera encontramos unos cuantos cazadores, o depredadores, como los coyotes, por ejemplo. Cazan liebres y ciervos pequeños, en solitario o en manada. Los coyotes se comunican entre sí con aullidos fuertes y prolongados.

57

Mamíferos de los pastizales

A muchos herbívoros les atraen los pastizales porque hay mucha comida pero, a su vez, éstos atraen a los depredadores que buscan carne para alimentarse.

Cazador escarbador

El tejón utiliza sus garras largas y afiladas para escarbar en la tierra en busca de pequeños animales como ratones y ardillas.

Los conejos golpean el suelo con las patas de atrás para avisar a los demás del peligro.

Oído agudo

El conejo tiene las orejas largas, por lo que tiene el oído muy agudo. Esto le permite detectar a cualquier cazador que esté cerca.

Zorro rojo

El zorro rojo es un carnívoro. Suele estar activo por la noche, cuando sale a cazar pequeños mamíferos como los conejos. También se alimenta de bayas.

¿SABÍAS QUE...?

Una sola pareja de conejos puede tener hasta 40 crías al año.

Animales de manada

Las llamas se encuentran en las vertientes cubiertas de hierba de la cordillera de los Andes en Sudamérica. Estos herbívoros viven en manadas y son utilizados por los habitantes de la zona para llevar cargas pesadas.

Las llamas están emparentadas con los camellos.

Bisonte americano

El bisonte americano es el mamífero terrestre de mayor tamaño de Norteamérica. Se reconoce con facilidad por su cabeza y parte anterior del cuerpo abultada y su pelaje lanudo.

Sobre los bisontes:

- Cuando son atacados por lobos u otros depredadores, forman un círculo alrededor de las crías, con los cuernos apuntando hacia fuera.

- Un bisonte adulto puede alcanzar los 900 kg, el equivalente de doce personas adultas.

- Al bisonte también se le llama búfalo americano.

Cuernos afilados

Tanto el macho como la hembra de bisonte tienen dos cuernos cortos y curvados, que afilan al frotarlos contra árboles o rocas.

Los bisontes usan sus cuernos para pelearse.

¿SABÍAS QUE...?

El bisonte es un animal muy veloz, puede superar hasta los 70 km por hora.

El retorno del bisonte

A finales del siglo XIX, los humanos exterminaron a casi todos los bisontes; sólo sobrevivieron unos 1.000. Hoy están protegidos por ley por lo que su número está aumentando.

Sobrevivir al frío

Al principio del invierno, los bisontes se desplazan de los pastizales a los valles y zonas boscosas, donde pueden cobijarse de las frías tormentas invernales.

La vida bajo los pastizales

Numerosos animales viven bajo los pastizales. Muchos cavan agujeros en el suelo, llamados madrigueras. Otros aprovechan agujeros para cobijarse.

Perritos de las praderas

Los perritos de las praderas reciben este nombre por su grito, que se asemeja al ladrido del perro. Viven en grandes colonias y cavan laberintos de madrigueras.

¿SABÍAS QUE...? Hace cien años había hasta 5.000 millones de perritos de las praderas en Norteamérica.

Topos que hacen túneles

Los topos son unos animales pequeños que tienen las patas delanteras grandes en forma de pala, con las que cavan túneles en la tierra. Se alimentan de gusanos, larvas y otros animalitos que caen a los túneles.

Perrito de las praderas

Mochuelo de madriguera

Tejón

Conejo

Hurón

Salamandra

Vivir en túneles

En los túneles que excavan los perritos de las praderas y los topos pueden vivir otros animales como las salamandras, emparentadas con las ranas y los sapos, o incluso el mochuelo de madriguera, un tipo de ave. También ocupan las madrigueras, serpientes, hurones y tejones.

Wombat

Los wombats son unos herbívoros nocturnos que sólo existen en Australia. Viven en madrigueras que pueden alcanzar los 20 m de largo y casi 2 de profundidad.

63

Vivir en los árboles

Por todo el mundo existen distintos tipos de animales que viven en los árboles, donde encuentran tanto comida como cobijo.

Tiquismiquis para la comida

Los koalas viven en los bosques de Australia y sólo comen hojas de eucalipto. Los koalas duermen durante el día y se activan al atardecer.

Los koalas rara vez beben agua. Suelen conseguir el líquido que necesitan de las hojas.

Construir un nido

Muchas aves contruyen sus nidos con materiales que recogen del bosque: ramitas, hojas, musgo, plumas y trocitos de lana de oveja.

Ranas arborícolas

La mayoría de las ranas viven en el suelo, pero las arborícolas viven en los árboles de la selva tropical. Tienen unas almohadillas pegajosas en la punta de los dedos que les ayuda a agarrarse a las ramas.

¿SABÍAS QUE...?

Las hojas de eucalipto son tóxicas para la mayoría de los animales, pero el organismo de este animal es capaz de destruir estas toxinas y por lo tanto pueden comerlas sin problemas.

Las ardillas usan su poblada cola para calentarse por la noche.

La ardilla roja

La ardilla roja tiene un pelaje marrón rojizo y penachos largos en las orejas. Se encuentra en los bosques septentrionales y se alimenta de semillas y frutos secos.

Bosques míxtos

Los bosques templados se encuentran en las zonas menos calurosas del mundo. Se componen de una mezcla de árboles que pierden las hojas en invierno (caducifolios) y árboles que mantienen las hojas durante los meses fríos (perennifolios).

La pérdida de la hoja

Los caducifolios pierden las hojas porque no reciben suficiente agua en invierno. El agua del suelo se congela y por lo tanto los árboles no pueden absorberla por las raíces. Las hojas se vuelven marrones y se caen.

Los milpiés se comen las hojas que caen de los árboles.

La vida en el sotobosque

El suelo del bosque está cubierto de plantas y hojas caídas, donde viven muchos bichitos como el milpiés.

Aves del bosque

En los bosques templados habitan muchas aves. Se alimentan de semillas y frutos de los árboles y de insectos que viven ahí. Los pájaros también hacen nidos en las ramas.

Los carrizos buscan insectos en los agujeros y grietas de los árboles.

Jabalí

Los jabalíes son cerdos salvajes que viven en el bosque. Comen raíces, frutos y bayas que caen al suelo. El jabalí macho tiene unos dientes curvados, llamados colmillos, que sobresalen de su boca.

¿SABÍAS QUE...?

El árbol más grande, la sequoia, puede alcanzar los 100 m de altura y vivir 2.000 años.

Insectos del bosque

Muchos insectos ponen sus huevos en los árboles. Cuando los insectos jóvenes salen del huevo están cerca de su comida favorita: las hojas.

Los vivos colores de esta oruga nos avisan de que es venenosa.

Orugas

Las orugas son larvas, o crías, de las mariposas y las polillas. Se alimentan de hojas y crecen antes de convertirse en mariposas y polillas adultas.

Algunas orugas parecen ramitas.

Pasar desapercibido

Muchas orugas son difíciles de ver. Algunas son de color verde para pasar desapercibidas entre las hojas y evitar a los depredadores.

68

Cazadores de insectos

Los insectos que viven entre las hojas atraen a muchas aves del bosque, como los herrerillos. Estos pájaros encuentran a los insectos ocultos en la corteza de los árboles y se los comen o se los dan de comer a sus crías.

Los herrerillos hacen sus nidos en agujeros en los troncos de los árboles.

¿SABÍAS QUE...?

Las orugas comen tanto que duplican su tamaño cada cuatro o cinco días.

Todo sobre las agallas

Las agallas son unas bolitas que crecen sobre las hojas y las ramas. Las forman unos insectos llamados avispas de las agallas. Estas avispas ponen sus huevos en una hoja o una rama, y a medida que nace el huevo y crece la jóven avispa, la planta se hincha y forma una agalla que rodea al insecto.

Avispa jóven

El sotobosque

El suelo del bosque es húmedo y sombrío y está cubierto por una gruesa capa de hojas y ramitas. Aquí viven muchos animales que se esconden de los depredadores y buscan alimento.

Ciervo volador

Los individuos jóvenes, o larvas, del ciervo volador crecen en el sotobosque. Los machos adultos tienen unas grandes mandíbulas que usan para luchar.

¿SABÍAS QUE...?

Cuando dos machos de ciervo volador se pelean, gana es el que logra volcar a su oponente.

Ratones de campo

Durante el día, los ratones de campo se esconden en pequeños túneles para evitar a los depredadores. De noche salen en busca de semillas, frutos, frutos secos y pequeños insectos para alimentarse.

Las tarántulas muerden a sus presas con sus enormes mandíbulas.

Tarántulas

A diferencia de muchas otras arañas, las tarántulas no hacen telarañas, sino que persiguen a sus presas por el suelo. Cuando capturan a un animal, le inyectan su veneno para paralizarlo.

Las becadas usan sus largos picos para sacar lombrices de la tierra.

Nidos en el suelo

La becada anida sobre el suelo del bosque. La hembra tiene un plumaje moteado para camuflarse entre las hojas secas del suelo y que nadie la vea cuando incuba los huevos.

71

Sobrevivir al frío

El invierno es un periodo difícil para los animales. Hay poco que comer y el agua puede haberse congelado. Los animales tienen distintas formas de sobrevivir durante los fríos mesos de invierno.

Las previsoras ardillas

Durante el otoño las ardillas entierran en el suelo comida, como por ejemplo nueces. En invierno las desentierran para comer.

Ciervos de bosque

Los ciervos se refugian en el bosque durante el invierno y se alimentan de las yemas de las ramas. También escarban en la nieve para buscar comida.

El sueño de la mofeta

En invierno, las mofetas duermen durante varios días de un tirón. En los días más suaves del invierno se despiertan y salen en busca de comida.

Las mofetas se defienden de los agresores lanzando un líquido apestoso.

La hibernación

Algunos animales, como los lirones, se esconden en lugares seguros y duermen profundamente para sobrevivir al invierno. A esto se le llama hibernación. Los animales se despiertan en primavera con la llegada del buen tiempo.

Aves migratorias

Algunas aves como las golondrinas evitan el frío volando a lugares más cálidos. Cuando ha pasado el invierno y otra vez hace calor, vuelven. A este viaje se le llama migración.

¿SABÍAS QUE...?

Cuando las astas de un ciervo crecen, se van recubriendo de una piel aterciopelada.

Bosques del norte

Una franja de bosque de perennifolios cruza la parte superior de Norte-américa, Europa y Asia. Los árboles que crecen aquí se llaman coníferas. Los inviernos son largos y fríos y hay menos animales que en los bosques más cálidos porque hay menos alimentos.

Ciervos que pastan

En los bosques de coníferas del norte habitan grandes ciervos que se alimentan de hierba, ramitas y cortezas. Algunos ciervos tienen una cornamente enorme. Al final de cada año, las astas se caen y crecen otras nuevas.

Los ciervos de cola blanca machos se pelean por las hembras con sus astas.

Hojas afiladas

Las coníferas tienen hojas en forma de aguja. Estas hojas son muy afiladas y no son muy buenas para comer.

La puesta

La mosca de sierra pone sus huevos en la corteza de las coníferas. La hembra tiene un ovipositor, un tubo largo y afilado en la parte de atrás del cuerpo que clava en la corteza para poner los huevos.

Ovipositor

Aves en equipo

Los bosques del norte albergan a muchas aves. Este arrendajo azul habita en los bosques de Norteamérica. Los arrendajos azules trabajan en equipo atacando a otros animales que se acercan demasiado a los nidos.

Cazador del bosque

El lince es uno de los cazadores que viven en los bosques del norte. Se sube a los árboles y espera a que algún animal se acerque antes de lanzarse al ataque.

El oso pardo

Los osos pardos se encuentran en Europa, Asia y Norteamérica. Viven en bosques, pastizales y montañas. Poseen un manto grueso y lanudo de color gris, marrón o negro.

Sobre el oso pardo:

🐾 Los osos pueden alcanzar una velocidad de más de 55 km por hora.

🐾 Los osos pardos son omnívoros, es decir, que comen todo tipo de alimentos, tanto carne como vegetales.

🐾 Los machos son mucho más grandes que las hembras. En algunos casos, pueden incluso duplicar el tamaño de ellas.

Animales grandes

Los osos pardos más grandes que se conocen viven en la isla de Kodiak en Alaska. Pueden pesar más de 590 kg, ¡cómo nueve personas adultas!

La caza del salmón

En otoño los osos pardos
se dan festines de salmón.
Se meten en los ríos y cazan
a los peces con sus
mandíbulas y largas garras.

Algunos osos se
colocan en la parte
alta de la cascada
y cogen a los
salmones que suben.

Un montón de dientes

Los osos usan los dientes para coger
a sus presas y para atacar a otros
osos. En la parte anterior de la boca
tienen dos colmillos largos y afilados
para agarrar bien a las presas.

En busca de comida

¡Un oso come de todo! Incluso
harán incursiones en las zonas
de acampada y revolverán en la
basura buscando algo comestible.

Las aves del bosque

En los bosques mixtos viven muchos pájaros distintos, que se refugian y anidan en los árboles. Algunos sólo visitan los bosques en invierno, pero otros se quedan todo el año.

Pájaro carpintero

El pájaro carpintero anida en agujeros en los árboles que hace usando su fuerte pico como si fuera un martillo.

¿SABÍAS QUE...?

El pájaro carpintero tiene cuatro dedos en cada pata, dos que miran hacia delante y dos hacia atrás, que le ayudan a subir y bajar por los troncos.

Fantasma del bosque

El cárabo lapón tiene las plumas grises con manchas blancas y negras que le dan una apariencia fantasmal.

Pavos salvajes

Los pavos salvajes viven en los bosques de Norteamérica. Pasan la mayor parte del tiempo en el suelo, pero pueden volar más de 500 m para escapar de sus agresores.

Las alas de los pavos son pequeñas y débiles, por lo que sólo pueden volar distancias cortas.

Los azores se alimentan de conejos y liebres.

Azor

El azor es un ave de presa, o sea, un pájaro que caza otros animales. Tienen muy buena vista y pueden distinguir a sus presas desde una gran altura.

Páramos helados

Al norte de los bosques de coníferas encontramos páramos helados llamados tundra. Estas regiones, heladas durante el invierno, explotan de vida en los cortos meses de verano.

El fiero glotón

El glotón parece un pequeño oso, pero está emparentado con la comadreja. Vive en los bosques del norte y en la tundra. Posee un grueso manto que le protege del frío.

Siempre congelado

A poca profundidad bajo la superficie de la tundra el suelo está siempre helado, por lo que las raíces de las plantas no pueden crecer. Sin embargo, en verano florecen plantitas, como esta amapola del Ártico.

Las planicies de la tundra

Cuando llega el verano, la nieve se funde y forma charcas. El suelo se ablanda y los animales pequeños pueden hacer sus madrigueras para refugiarse o escarbar en busca de alimento.

El ganso nival

Los gansos nivales vuelan hasta la tundra en verano para criar. En otoño vuelan hacia lugares más cálidos en el sur.

Los gansos nivales vuelan en grandes bandadas.

Manadas de renos

Los renos se trasladan a la tundra en verano para parir a las crías. Cuando llega el invierno, las manadas de renos vuelven a los bosques de coníferas.

¿SABÍAS QUE...?

La tundra ártica cubre un 10% de la superficie total de la Tierra.

El Ártico

El Ártico es la región que rodea al Polo Norte. En estas tierras heladas los inviernos son muy largos. En pleno invierno el sol se pone y no vuelve a salir en varias semanas.

Mantener el calor

Las focas poseen una gruesa capa de grasa justo debajo de la piel. Esta capa las mantiene calentitas en los helados mares del Ártico.

Capa de hielo

El Ártico está recubierto por una gruesa capa de hielo. En verano se funde una parte y la capa disminuye de tamaño, por lo que los depredadores terrestres, como los osos polares, tienen menos sitio para cazar y más dificultades para encontrar comida.

Picos multicolor

Los frailecillos pescan peces pequeños para comer y alimentar a sus crías. Llevan los peces en sus picos multicolor, hasta 10 de una sola vez.

¿SABÍAS QUE...?

Los frailecillos nadan muy bien y pueden sumergirse hasta 60 m para pescar peces.

Un nuevo abrigo de piel

El zorro ártico cambia el color de su manto según la estación para camuflarse. En invierno su manto es blanco para ocultarse entre la nieve, y en verano se vuelve marrón como las rocas y la tierra.

83

Viajantes

Durante el verano muchos animales se desplazan hasta el Ártico para alimentarse y criar. Cuando llega el frío en otoño se vuelven a marchar. A este viaje se le llama migración.

Las grandes manadas de caribús se desplazan cientos de kilómetros en su viaje de ida y vuelta a la tundra.

Caribús migratorios

El caribú es un tipo de ciervo que vive en Norteamérica. Pasa el invierno en los bosques pero en verano se desplaza al norte para parir a sus crías y pastar en la tundra ártica.

Lobos cazadores

Los lobos siguen a los caribús durante su migración y cazan a los individuos viejos y débiles. Son buenos corredores y son capaces de seguir a las manadas de caribús hasta 20 km al día.

El rey de los viajantes

El charrán ártico es el animal que realiza la migración más larga. Cría en verano en el Ártico y en invierno vuela hasta la Antártida antes de volver a dirigirse al Ártico. En este viaje de ida y vuelta recorre por lo menos unos 32.000 km.

ÁRTICO

Rutas migratorias del charrán ártico

El charrán ártico sigue las costas de Europa, África o América en su larga migración.

ANTÁRTIDA

85

El oso polar

Los osos polares son los depredadores terrestres más grandes del mundo. Suelen vivir en solitario, acechando a las focas entre el hielo del Ártico.

Los osos polares incluso han cazado ballenas beluga para comer.

Abrigo de piel

Los osos polares tienen un manto grueso de pelo blanco que les permite camuflarse entre la nieve y pasar desapercibidos. Bajo el pelaje tienen una gruesa capa de grasa. El manto y la grasa les ayuda a mantener la temperatura corporal.

¡Demasiado calor!

El pelaje y la grasa del oso polar son tan eficaces a la hora de mantener el calor que en verano se puede sobrecalentar. Para enfriarse tiene que tumbarse en el hielo.

Observar a los osos

Ir a ver osos polares es muy popular en Canadá. Se utilizan vehículos especiales para poder acercarse a los animales.

Sobre el oso polar:

- 🐾 Las plantas de los pies del oso polar son muy ásperas para que no que resbale sobre el hielo.

- 🐾 Los machos adultos pueden pesar 680 kg, aproximadamente lo que pesan diez personas adultas.

- 🐾 Cuando hace mucho frío los osos polares se tapan la cara para no perder calor por la nariz.

Buenos nadadores

Los osos polares son excelentes nadadores. Usan sus grandes patas para impulsarse por el agua. Se han visto osos nadando a casi 100 km de la costa.

La Antártida

La Antártida es la región que rodea al Polo Sur. A diferencia del Ártico, en la Antártida hay mucha tierra cubierta de una gruesa capa de hielo. Las condiciones de frío extremo hacen que la vida de los animales sea muy dura.

Comida para todos

En verano acuden muchos animales a la Antártida. En el mar, el plancton, formado por plantas y animales diminutos, se vuelve muy abundante con la llegada del buen tiempo. El plancton atrae a los peces, que a su vez sirven de alimento a las focas y los pingüinos.

Foca leopardo

Las focas leopardo son depredadores feroces. Además de alimentarse de peces y calamares, comen pingüinos y otras focas.

Turistas polares

En la Antártida viven muy pocas personas pero cada vez hay más gente que va de turismo. Estos turistas tienen que extremar las precauciones para no dejar rastro de su paso tirando basura o molestando a los animales.

Aves que nadan

Muchos pingüinos ponen los huevos y crían a sus polluelos en la Antártida. Incuban los huevos con los pliegues de piel que tienen por las patas.

Los pingüinos barbijo se llaman así por una fina franja de plumas negras que tienen bajo la barbilla.

Pingüinos

Los pingüinos son aves nadadoras que viven en el hemisferio sur. Tienen patas palmeadas y alas en forma de aleta para nadar.

Mantener el calor

A diferencia de otros pájaros, los pingüinos tienen plumas en las patas y una gruesa capa de grasa bajo la piel, lo que les ayuda a mantenerse calientes en la fría Antártida.

Los pingüinos emperador cuidan muy bien a sus crías.

Sobre el pingüino:

🐾 Los pingüinos emperador son los pingüinos más grandes. Pueden pesar hasta 45 kg, ¡cómo 9 garrafas de agua!

🐾 Las colonias de pingüinos más grandes pueden tener más de 10 millones de individuos.

Colonias enormes

Cuando llega la época de apareamiento, los pingüinos se reúnen en grandes grupos llamados colonias. Se colocan muy juntitos para no pasar frío.

Pingüino de El Cabo

Los pingüinos de El Cabo tienen un berrido muy escandaloso, parecido al rebuznar de un burro. Habitan en las playas del sur de África.

Volar bajo el agua

Los pingüinos son torpes en el suelo pero gráciles y veloces en el agua. La superficie de su cuerpo es lisa para poder moverse con facilidad en el mar. Les cuesta andar y a menudo se deslizan por la nieve sobre la panza.

Los pingüinos de El Cabo miden unos 68 cm de alto y pesan hasta 4 kg.

Suelo agrícola

En todas partes del mundo se han arrasado grandes espacios naturales para instalar granjas. Los animales salvajes acuden a las tierras de cultivo para comerse las cosechas o para cazar pequeños animales.

Mariposas de los prados

Los prados son un hábitat importante para las mariposas. A principios de verano las hierbas son altas y hay muchas flores que atraen a las mariposas y a las abejas.

La vulcana se alimenta de néctar, un líquido azucarado que tienen las flores.

Tierras de cultivo

Las tierras de cultivo son una mezcla de hábitats. Entre los campos puede haber arbustos y bosquecillos. También hay prados, que son campos donde pastan los animales de la granja. A menudo los prados están llenos de flores.

Animales de granja

Los humanos han tenido animales de granja, como vacas, ovejas y cerdos, durante miles de años. Criamos a estos animales para obtener la leche, la carne y la lana que producen.

Abejorros

Los abejorros visitan las flores de los prados y los arbustos. Recogen el néctar y lo llevan de vuelta a sus nidos, llamados panales. Con el néctar hacen la miel que se comerán en invierno.

¿SABÍAS QUE...?

Las abejas se alejan hasta 14 km de sus panales en busca de flores.

Granívoros

Las tierras de cultivo son propicias para las aves porque hay mucha comida. Los pájaros que comen semillas, como los jilgueros, tienen un pico corto y fuerte, ideal para abrirlas.

93

Vivir en la ciudad

Muchos animales viven cerca de los humanos, en parques y jardines, en casas y bajo tierra en las alcantarillas: zorros, ardillas, ratas y palomas.

Hogares en la ciudad

Las ciudades son el hogar ideal para algunos animales, ya que hay muchos sitios donde refugiarse o anidar. También hay mucha comida, que se puede encontrar en los contenedores, tirada por las calles y en las casas.

Los zorros están emparentados con los perros y los lobos.

Zorros urbanos

El zorro rojo se ha acostumbrado a vivir cerca de las personas. Por las noches visita los jardines y busca comida en los contenedores.

Mapaches

Los mapaches se encuentran en Norteamérica donde a menudo visitan jardines y parques. Estos inteligentes animales usan sus largos dedos para abrir bolsas y cajas en busca de comida.

Los halcones se alimentan de aves y pequeños mamíferos, como el ratón.

Palomas de ciudad

Es frecuente ver palomas en las ciudades. Se reúnen en los parques y otros espacios abiertos para buscar alimento. Pueden suponer un problema porque sus excrementos ensucian mucho.

El nido del halcón

El halcón peregrino construye el nido en edificios altos desde donde puede ver bien a cualquier presa que se acerque.

95

Vivir en cuevas

Muchas cuevas son frías, húmedas y a menudo muy profundas. A estos lugares llega muy poca luz, por lo que los animales que viven en ellas tienen que acostumbrarse a la oscuridad.

Murciélagos cavernícolas

Los murciélagos duermen en las cuevas durante el día, colgados boca abajo de las paredes, y de noche salen volando en busca de comida.

Cuevas

Existen cuevas de todos los tamaños, desde pequeños recovecos en un acantilado a enormes cuevas con galerías de cientos de kilómetros.

Sin ojos

El tetra ciego no tiene ojos. Pero esto no es ningún problema porque como en las cuevas no hay luz, no hace falta ver. Cuenta con otros sentidos para nadar y buscar alimento.

Arañas cavernícolas

Las arañas cavernícolas son muy comunes en muchas partes del mundo. Ponen los huevos en grandes bolsas en forma de lágrima que cuelgan del techo de la cueva.

Las arañas cavernícolas cazan pequeños insectos y cochinillas.

¿SABÍAS QUE...?

La diminuta araña cavernícola tiene el tamaño de una de estas letras. Este minúsculo depredador teje sus telarañas en las paredes de las cuevas de Texas.

El nido del águila

El águila real anida en acantilados y montañas. Es un poderoso cazador que captura ratones, liebres o incluso ciervos.

Las montañas

Las montañas presentan muchos tipos de hábitats. Hay espesas selvas pluviales y prados así como escarpadas laderas cubiertas de rocas y ríos turbulentos.

El águila real planea con sus alas de hasta 2 m y medio de envergadura.

Hábitats cambiantes

Los hábitats en las montañas cambian con la altitud. En la parte inferior hay bosques, más arriba praderas y en las cumbres encontramos unas cuantas plantitas y poca cosa más.

Gorila de montaña

Los gorilas de montaña se encuentran en las selvas pluviales de África central. Tienen un grueso pelaje que les ayuda a mantenerse calientes.

¿SABÍAS QUE...?

El leopardo de las nieves se envuelve la cara con su cola larga y tupida para que no se le enfríe el hocico por la noche.

Cazadores de las montañas

Los leopardos de las nieves viven en las montañas de Asia. Son poderosos depredadores que suelen cazar ovejas y cabras. Cuando han matado a su presa se quedan cerca del cadáver para evitar que otros animales se lo roben.

Los leopardos de las nieves son lo bastante fuertes como para derribar a una presa el triple de grande.

99

Vivir en las cumbres

Hay pocos animales que sobreviven en las cumbres. Hay muy poco que comer y el terreno está cubierto de grandes rocas resbaladizas. Las temperaturas son muy bajas y hay nieve todo el año.

Escaladores

El borrego cimarrón se sube a las cumbres durante el verano para alimentarse de la hierba que crece en las escarpadas laderas. Cuando llega el invierno vuelve a bajar para escapar de la nieve.

¿SABÍAS QUE...?

Las cabras monteses pueden saltar hasta 3 m de una cornisa a otra. Son capaces además de darse la vuelta sobre una cornisa de tan sólo unos centímetros.

A los borregos cimarrones les gusta el terreno abierto donde pueden divisar a los agresores con facilidad.

Yaks

El yak es un animal grande y lanudo que vive en las montañas del Himalaya en Asia. Tiene un grueso manto que le protege del frío aire de la montaña.

Cabras de pie firme

Las cabras monteses viven en los precipicios más escarpados, donde saltan de cornisa en cornisa gracias a sus cascos que se agarran muy bien a las rocas.

El nombre marmota procede de una antigua palabra francesa que significa «ratón de montaña».

Silbido de aviso

La marmota es un pequeño animal que vive en grandes colonias en las laderas de las montañas. Su grito de alarma es un silbido agudo. Cuando las otras marmotas oyen este sonido saben que el peligro acecha y se esconden rápidamente en sus madrigueras.

La vida en el aire

Existen muchos animales que han aprendido a
volar, como las aves, los insectos y los murciélagos.
Vuelan usando alas con plumas o con una fina
membrana de piel que baten para despegar.
El hecho de volar les permite cazar desde el aire
y les ayuda a huir de los depredadores.

Aves

Las aves son animales con plumas que les ayudan a mantener el calor corporal y a volar. Los pájaros además tienen alas en vez de brazos y un pico duro que usan para alimentarse.

Aves cazadoras

Los pájaros que cazan a otros animales se llaman aves de presa o rapaces. Tienen un gran pico en forma de gancho y grandes garras para atrapar a sus presas.

Las rapaces vuelan muy alto para divisar a sus presas.

El martín pescador utiliza su largo pico para coger peces.

Plumas de colores

Algunas aves, como el martín pescador, tienen un plumaje de colores muy vivos. Este colorido suele servir para atraer a la pareja. Los pájaros a veces realizan un baile especial para ser aún más atractivos.

Plumaje impermeable

Las aves que viven en el agua, como por ejemplo el pato, tienen una especie de grasa en sus plumas que evita que éstas se mojen. Si no fuera así, estas aves se hundirían.

El ánade real se sumerge en el agua en busca de algas.

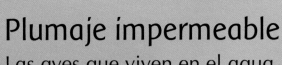

¿SABÍAS QUE...?

El halcón peregrino es el animal más rápido del mundo. Cuando se lanza en picado para cazar una presa puede alcanzar velocidades de hasta 270 km por hora.

Cuidado del plumaje

Las aves cuidan su plumaje. Con el pico lo limpian y enderezan las plumas torcidas.

Alas de pájaro

Los pájaros tienen alas en lugar de brazos. Para volar extienden y baten sus alas. Las alas están formadas por una serie de huesos a los que se fijan las plumas. Las alas pueden ser largas y anchas o cortas y estrechas.

Las alas del alcatraz pueden tener hasta 1,8 m de envergadura.

Planeando por el aire

Las aves que planean, como por ejemplo el alcatraz, aprovechan las corrientes ascendentes de aire para volar. Estas aves tienen las alas muy grandes para coger la corriente y elevarse en el aire.

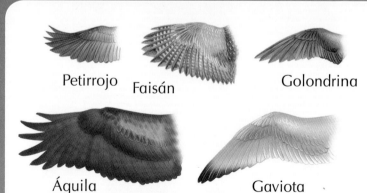

Petirrojo Faisán

Golondrina

Águila

Gaviota

La forma de las alas

Las aves que planean, como las águilas o las gaviotas, tienen alas muy grandes con plumas largas. Los pájaros que vuelan distancias cortas y necesitan cambiar de dirección con rapidez, como las golondrinas, tienen alas cortas que baten a gran velocidad.

Vuelo silencioso

Algunos búhos no hacen ningún ruido al volar. En la parte delantera de sus alas tienen unas plumas muy suaves que amortiguan el ruido del aire al pasar por éstas.

Vuelo rápido

Las golondrinas tienen las alas cortas, lo que les permite volar con rapidez de un lado a otro para cazar insectos voladores. Si necesitan tirarse en picado, pegan sus alas al cuerpo y caen como una piedra.

Algunos colibríes baten sus alas hasta 1.200 veces por minuto.

El vuelo del colibrí

El colibrí es un pájaro muy pequeño que puede quedarse suspendido en el aire. Al batir rápidamente sus alas hacia atrás y hacia delante, puede mantenerse en un mismo lugar delante de una flor para introducir el pico y beber el néctar.

Águilas

Los águilas de cabeza blanca son rapaces, es decir, que se alimentan de otros animales. Tienen muy buena vista y pueden ver a sus presas desde lo alto.

Gran envergadura

Los águilas de cabeza blanca tienen una envergadura de más de 2,4 m. Usan sus alas para aprovechar las corrientes ascendentes de aire caliente y elevarse en el cielo.

Alimento de águilas

Los águilas de cabeza blanca se alimentan de aves pequeñas, peces y mamíferos. También comen animales muertos, cuando escasean las presas vivas.

Un águila de cabeza blanca caza los peces con sus garras largas y afiladas.

¿SABÍAS QUE...? El águila de cabeza blanca es el símbolo nacional de Estados Unidos.

Nidos de águilas

Los águilas de cabeza blanca construyen nidos enormes. Una pareja de águilas utiliza siempre el mismo nido, que amplía año tras año. Estos nidos pueden pesar más de 450 kg, o lo que es lo mismo, el peso de seis personas.

Sobre el águila:

- Un águila macho pesa casi 4 kg, pero la hembra puede llegar a los 6.

- Los águilas de cabeza blanca en estado salvaje viven unos 25 años, pero en cautividad pueden alcanzar los 50.

- Los águilas de cabeza blanca jóvenes son completamente marrones; las plumas blancas no aparecen hasta los 4 años.

Picos ganchudos

Los águilas de cabeza blanca tienen un fuerte pico en forma de gancho, que utilizan para despedazar a sus presas en trocitos que puedan tragar.

111

Aves sin vuelo

Hay aves que tienen plumas y alas pero no pueden volar. Entre ellas están algunos de los pájaros más grandes del mundo, como el avestruz, el ñandú y el emú.

El avestruz es el ave más grande del mundo. El macho puede llegar a medir 1,8 m de alto y pesar 160 kg, en otras palabras: más de lo que pesan dos personas.

Los avestruces viven en los calurosos pastizales de África.

Corredores veloces

Los avestruces tienen unas largas y fuertes patas que usan para escapar de sus agresores. Pueden alcanzar una velocidad de hasta 65 km por hora.

Cormorán

El cormorán de las Galápagos es un ave no voladora que habita en las Islas Galápagos. Nada cerca de la costa y se alimenta de peces, calamares y pulpos.

Los kiwis tienen más o menos el tamaño de una gallina.

De la cabeza del casuario sobresale un gran hueso llamado casco.

Kiwis de Nueva Zelanda

Los kiwis viven en los bosques, pantanos y pastizales de Nueva Zelanda. El kiwi se llama así por el curioso sonido que emite: un silbido muy agudo. Tiene los orificios nasales en la punta de su largo pico, para poder olfatear los insectos.

Casuario

El casuario vive en las selvas pluviales de Australia. Estos pájaros tan altos tienen una garra muy afilada en la punta de cada pata que utilizan para defenderse.

111

Este papamoscas del paraíso ha construido su nido con ramitas, hojas y musgo.

Anidar

La mayoría de los pájaros hacen nidos para poner sus huevos. Los nidos pueden ser de lo más variado, pueden tener forma desde de vaso hasta de plataforma.

Materiales de construcción

Los nidos se pueden construir con diferentes tipos de materiales como ramitas, hojas, musgo, lana y plumas. Algunas aves utilizan incluso basura.

Nidos de golondrinas

Las golondrinas hacen sus nidos con bolitas de barro y arcilla. Para hacer un sólo nido pueden usar hasta 1.500 bolitas.

¿SABÍAS QUE...?

El colibrí vervain es el pájaro que hace el nido más pequeño del mundo. Tiene apenas el tamaño de media cáscara de nuez.

Tejer un nido

El tejedor construye su nido tejiendo ramitas y juncos. Estos nidos suelen tener una entrada muy pequeña para evitar que otros animales se puedan comer los huevos.

Grandes plataformas

Los nidos de algunos pájaros, como la cigüeña y el águila, son grandes plataformas construidas con palos y ramitas. Los nidos más grandes pueden medir casi 2 m de ancho por 6 de profundidad.

Un tejedor moteado en la estrecha entrada de su nido.

En las cajas nido los pájaros pequeños como el herrerillo están a salvo de los depredadores.

Cajas nido

Una buena forma de atraer pájaros al jardín es instalar cajas nido. Los pájaros construirán su nido dentro.

La cría

Todos los pájaros ponen huevos. Los padres cuidan de los huevos para asegurarse de que nazcan los polluelos, que serán alimentados hasta que abandonen el nido.

Mantener el calor

Los pájaros se sientan sobre los huevos para mantenerlos calentitos hasta que nacen los polluelos. A esto se le llama incubación.

Usurpadores de nidos

El cuco no construye nidos, sino que pone sus huevos en los nidos de otras aves, que cuidarán de sus polluelos cuando hayan salido del cascarón. Las crías de cuco son más grandes que las otras crías del nido, por lo que recibirán más comida.

Los polluelos

Las crías recién nacidas son débiles. Los padres deberán alimentarlas y para ello a veces tragan la comida y la regurgitan de modo que la puedan comer los polluelos.

Abandonar el nido

A medida que los polluelos van creciendo, los padres han de traerles más y más comida. Cuando los polluelos ya tengan fuerza harán pequeñas prácticas de vuelo. Luego abandonarán el nido definitivamente.

Este polluelo de águila ya está preparado para abandonar el nido.

Murciélagos

Los murciélagos son los únicos mamíferos que pueden volar. En lugar de patas delanteras tienen alas, y las traseras no las usan para caminar, sino para colgarse cabeza abajo.

Dormir colgado

La mayoría de los murciélagos son nocturnos, lo que significa que están activos de noche. Duermen durante el día, colgados por los pies de las paredes de cuevas, edificios y árboles.

¿SABÍAS QUE…?

Algunos murciélagos frugívoros tienen alas de casi 1,8 m de punta a punta.

Existen casi 1.000 especies diferentes de murciélagos.

Murciélagos frugívoros

Los murciélagos frugívoros viven en las selvas de África, Australia y Asia. Algunos tienen lenguas muy largas que emplean para chupar el néctar de las flores.

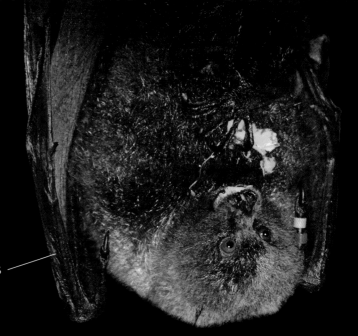

Los murciélagos frugívoros a veces reciben el nombre de zorros voladores.

El vuelo

Los murciélagos tienen unos músculos pectorales muy fuertes para batir las alas. Cambian de dirección moviendo los huesos de los dedos y patas para cambiar la forma de las alas.

El ala del murciélago

Los largos huesos de los dedos de los murciélagos están cubiertos por una fina membrana de piel que forma el ala. Del extremo del ala sobresale un pulgar que acaba en una garra.

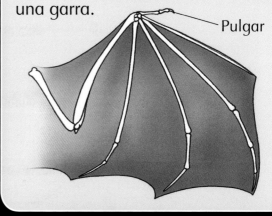

Pulgar

Campamento de murciélagos

Los murciélagos frugívoros se reúnen en grandes grupos en las ramas más altas de los árboles de la selva, como si estuvieran de campamento.

Los sentidos

La mayoría de los murciélagos caza en la oscuridad de la noche. Algunos murciélagos emplean sonidos para detectar los objetos; esto se llama ecolocalización.

Grandes orejas

La mayoría de los murciélagos tiene orejas grandes y un oído excelente que utilizan para localizar a sus presas en la oscuridad.

Los vampiros hacen un corte en la piel de la víctima y lamen la sangre.

Vampiros amantes del calor

Los vampiros son murciélagos que se alimentan de la sangre de vacas, cerdos, caballos y aves. Detectan a sus presas por la noche con unos sensores de calor que tienen en el rostro.

Oír en la oscuridad

La ecolocalización emplea los sonidos y los ecos para encontrar objetos. Los murciélagos emiten un sonido muy agudo y cuando este sonido choca contra un objeto, las ondas rebotan. Al escucharlas el murciélago puede saber dónde está el objeto y qué tamaño tiene.

El murciélago emite un sonido muy agudo.

¿SABÍAS QUE...?

Los vampiros pueden beber 1,5 veces el peso de su cuerpo de una sola vez. Necesitan beber por lo menos dos cucharadas soperas de sangre al día.

Los murciélagos frugívoros tienen los ojos más grandes que los demás murciélagos porque cazan de día.

Grandes ojos

Los murciélagos frugívoros no usan la ecolocalización, sino que tienen grandes ojos con los que buscan frutos en la selva. También utilizan su olfato para encontrar comida.

Los sonidos rebotan en la polilla y vuelven al murciélago en forma de eco.

Insectos voladores

La mayoría de los insectos tienen dos pares de alas que usan para volar. Las alas de los insectos pueden variar mucho: las de las abejas son muy finas, mientras que las de las mariposas son grandes y de vivos colores.

Difíciles de cazar

La mosca común sólo tiene un par de alas, pero es uno de los insectos más rápidos. Aprovecha su velocidad para huir.

Cazadores de insectos

Las libélulas tienen dos pares de alas transparentes. Estos insectos fuertes son unos excelentes voladores y pueden cazar insectos más pequeños en pleno vuelo.

Las libélulas tienen unos ojos enormes para poder ver bien a sus presas.

El zumbido de las abejas

La abeja tiene dos pares de alas muy finas que cuando baten emiten un zumbido. Una abeja puede volar a 20 km por hora.

¿SABÍAS QUE...?

La mayoría de los insectos no emiten ruido por la boca, sino frotando las alas o las patas.

Mariposas de vivos colores

Las alas de las mariposas están cubiertas por unas escamas muy pequeñas que pueden ser de hísimos colores.

Alas de la mariquita

Las mariquitas tienen un par de alas muy duras de color rojo con manchas negras. Estas alas cubren un segundo par de alas muy finas que son las que usan para volar.

Insectos cambiantes

Desde que salen del huevo hasta que son adultos, los insectos cambian mucho. Algunos incluso cambian por completo su cuerpo, como las orugas que se convierten en mariposas o polillas con alas.

Huevos

Huevos

Una mariposa hembra pone minúsculos huevos sobre las hojas de las plantas.

Comer hojas

De los huevos salen las crías que se llaman larvas. Las larvas de las mariposas son las orugas que comen hojas y crecen muy deprisa.

Orugas

Mariposa

Cuando la oruga ha realizado todo el cambio, la crisálida se abre y de ella sale la mariposa adulta. La mariposa extenderá las alas para que se sequen y luego saldrá volando para comer y, si es una hembra, para poner huevos.

Mariposa
adulta

En fase de pupa, la oruga se rodea de un caparazón duro llamado crisálida.

Caparazón duro

Cuando la oruga haya alcanzado su máximo tamaño, se convertirá en una pupa. Ésta es la etapa en la que el insecto cambia de oruga a mariposa; puede durar varias semanas.

Langosta del desierto

La langosta del desierto es un tipo de saltamontes. A diferencia de la mayoría de éstos, las langostas del desierto pueden ser muy dañinas pues se comen las plantas, llegando a arrasar comarcas enteras.

La cabeza de la langosta

La langosta tiene dos grandes ojos y un par de antenas. Su mandíbula tiene los bordes serrados para poder masticar las hojas.

Los enjambres de langostas pueden volar hasta 130 km en un día.

Enjambres enormes

A veces las langostas se juntan en grupos muy numerosos llamados enjambres. Algunos pueden alcanzar los 40 km de longitud y contener miles de millones de insectos.

Volar y saltar

Una langosta adulta tiene dos pares de alas. El par delantero es duro y cubre el par trasero. Las langostas también tienen dos patas traseras muy largas que usan para saltar.

Sobre la langosta:

- Las langostas hacen un chirrido cuando frotan sus largas patas traseras.

- Un enjambre grande de langostas puede devorar hasta 90.000 toneladas de comida en un día ¡lo que equivale al peso de 10.000 elefantes africanos!

Una langosta adulta puede comer el equivalente de su peso cada día.

Alas traseras

Alas ocultas

Las alas traseras de la langosta sólo se ven cuando está volando. Con estas alas, la langosta puede recorrer 19 km en una hora.

125

La vida acuática

Casi tres cuartas partes de la Tierra están
cubiertas por agua. Podemos encontrar agua
en casi todas partes, desde el riachuelo más
pequeño hasta el océano más grande. Los mares
y océanos son de agua salada, y los arroyos, ríos
y lagos son de agua dulce, que no contiene sal.
En estos mundos acuáticos existe una amplia
gama de hábitats: arrecifes de coral, pantanos,
y profundos mares y océanos.

¿Cómo nadan los peces?

Los peces tienen colas muy fuertes que mueven de lado a lado para avanzar por el agua. También tienen una serie de aletas en el cuerpo que emplean para dirigirse.

Peces veloces

Los peces más rápidos del océano son el pez vela y el atún. Sus cuerpos son aerodinámicos, o sea, lisos y delgados, para poder deslizarse por el agua con facilidad.

¿SABÍAS QUE...?

El pez vela es el pez más veloz. Puede alcanzar velocidades de más de 120 km por hora, más rápido de lo que puede correr el guepardo, el animal terrestre más rápido.

Atún

Pez ángel

La forma del cuerpo del pez ángel es distinta a la del atún. Su cuerpo está aplanado por los lados. Por ello no nadan a mucha velocidad, pero pueden retorcerse y girar en un instante.

Aletas

Un pez tiene una serie de aletas, cada una de las cuales tiene una función. Las aletas pectorales y pélvicas ayudan a maniobrar y parar. La aleta dorsal le ayuda a permanecer vertical en el agua.

Aleta pectoral

Aleta dorsal

Cola

Aleta pélvica

Vivir en grupo

Muchos tipos de peces viven juntos en grandes grupos llamados bancos. Para los peces es más seguro nadar así porque el remolino de peces confunde a los cazadores.

Las alas de la manta pueden tener una envergadura de 7 m.

Volar bajo el agua

La manta parece un enorme avión bajo el agua. Sus aletas salen del cuerpo y forman enormes alas. Para nadar, la manta aletea con estas alas y «vuela» por el agua.

Lagos y charcas

El agua de los lagos y las charcas es agua en calma, que apenas se mueve. Los animales que viven aquí no tienen que nadar contra la corriente como en los arroyos y ríos.

Vida vegetal

Algunas plantas, como los juncos, crecen en aguas poco profundas en los márgenes de lagos y charcas. A muchos animales les gusta esconderse entre los tallos de las plantas y comerse sus hojas.

Tritones

Los tritones pertenecen a un grupo de animales llamados anfibios. Pasan la mayor parte del tiempo nadando en el agua, pero también tienen patas para andar por tierra firme.

Este tritón advierte a los demás animales de que es venenoso con su llamativo colorido.

Peces de agua dulce

En los lagos y charcas hallamos muchos tipos de peces, incluyendo a este cíclido. Algunos peces se alimentan de plantas mientras que otros cazan a otros animales.

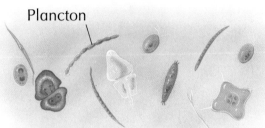

Plancton

Vida microscópica

El agua de las charcas está llena de diminutos seres tan pequeños que no los podemos ver. Es lo que llamamos plancton, y contiene plantitas, larvas (crías de insectos) y freza.

Las larvas de libélula pasan el primer año de vida en el agua cazando otros animales.

Larvas de libélula

Las libélulas ponen sus huevos en el agua. Las crías que salen de los huevos se llaman larvas. Cuando las larvas se convierten en adultos, salen del agua y se van volando.

Salmón

Los salmones pasan la primera parte de su vida en los ríos. Después nadan hacia el mar donde se alimentan de peces y crustáceos. Tras unos años, hacen un largo viaje de vuelta al río donde nacieron.

Peces poderosos

Los salmones son peces grandes y fuertes. Sus cuerpos son largos y esbeltos, ideales para nadar, y tienen músculos fuertes para empujarles por el agua.

Los salmones nadan moviendo la cola de lado a lado.

Con fuerte coletazo, el salmón remonta la cascada de un salto.

Sobre el salmón:

- Los salmones viven tanto en el océano Atlántico como en el Pacífico.

- Los tipos principales de salmón son el Atlántico, el rojo, el real, el rosado, el del Pacífico, el plateado y el masou.

- Los salmones rojos pueden nadar más de 1.400 km desde el océano Pacífico hasta los ríos donde ponen los huevos.

Un banquete de salmón

Cuando los salmones suben por los ríos y arroyos son cazados por otros animales. Los osos pardos acechan en la parte menos profunda de los ríos y usan sus fuertes fauces para atrapar a los salmones a medida que pasan.

Remontando el río

Los salmones pasan la mayor parte de la vida en el océano. Sin embargo, tienen que poner sus huevos en los ríos. Cada año, millones de salmones adultos remontan los ríos a contracorriente. El viaje es largo y agotador, y tienen que superar muchos obstáculos, incluidas las cascadas.

La cría del salmón

Existen criaderos donde se cría el salmón para comer. Los peces permanecen en grandes jaulas flotantes, como las de esta foto, hasta 18 meses.

133

Ranas y sapos

Las ranas y los sapos pertenecen al grupo de los anfibios, que ponen sus huevos en el agua. De los huevos nacen los renacuajos que van cambiando de forma a medida que crecen.

La freza

La rana hembra pone unos 100 huevos, que se quedan pegados en una nube llamada freza. Cada huevo tiene un pequeñísimo punto negro que crece hasta convertirse en un renacuajo.

La freza

Sapos

Los sapos se parecen mucho a las ranas, pero entre ellos hay algunas diferencias. Por ejemplo, los sapos suelen tener verrugas en la piel, mientras que la piel de las ranas es lisa.

Ranas adultas

Las ranas jóvenes crecen hasta convertirse en ranas adultas. Las adultas tienen ojos saltones y la boca ancha, además de unas patas traseras muy fuertes.

Rana joven

Ranas jóvenes

A los renacuajos les salen patas delanteras y sus colas empiezan a encogerse. Ahora son ranas jóvenes y están preparadas para salir del agua.

Renacuajo con patas

Renacuajos

Renacuajos

Los renacuajos tienen colas largas pero no tienen patas. Respiran por agallas, igual que los peces.

Patas que crecen

Los renacuajos crecen muy rápido. Como a las ocho semanas de salir del huevo ya tienen patas traseras.

135

Ríos

Los animales que viven en los ríos tienen que defenderse en el agua en movimiento. Los ríos también llevan trocitos de fango y piedrecitas, por lo que puede ser difícil ver bajo el agua.

La vida en el río

En el fango del lecho del río crecen muy bien las plantas. Éstas atraen al río insectos y otros animalitos. Y éstos a su vez atraen animales más grandes, como los peces y las aves.

Las truchas hembra escarban pequeños nidos entre la grava del lecho para poner los huevos.

Trucha

La trucha es un pez al que le encantan las aguas rápidas de los arroyos y ríos. Tiene la piel marrón con motas, por lo que pasa desapercibida entre el fango y las piedras del lecho del río.

Los inmensos ojos de la libélula le permiten ver todo lo que pasa a su alrededor.

Insectos del río

Las libélulas son unas cazadoras activas que acechan por las orillas del río para capturar insectos al vuelo. Entre otros insectos que viven cerca de los ríos encontramos a los caballitos del diablo y las efímeras, que ponen los huevos en el agua.

¿SABÍAS QUE...?

Las anguilas eléctricas viven en los ríos de Sudamérica. Son capaces de producir suficiente electricidad para 12 bombillas. Esta electricidad la utilizan para aturdir a sus presas.

Aves de río

Los cisnes y los patos son comunes en los ríos, ya que se alimentan de las plantas que crecen en las orillas o en el agua. Los cisnes hacen grandes nidos en las orillas para sus crías.

Los cisnes negros viven en el sur de Australia.

137

Estuarios

Los estuarios son lugares donde los ríos desembocan en el mar. Son zonas grandes y llanas con mucho fango donde los animales pueden hacer madrigueras.

El delta del Nilo se forma allí donde el río se encuentra con el Mediterráneo.

Río Nilo

Deltas

Cuando un río llega a un estuario, se enlentece y el fango que lleva el agua se deposita en el fondo. Este fango se acumula y crea una gran zona en forma de triángulo llamada delta.

Los cormoranes se pueden zambullir hasta una profundidad de 45 m.

¿SABÍAS QUE...?

Algunos tipos de cangrejo pueden alcanzar velocidades de hasta 16 km por hora.

Pescadores

Los cormoranes viven cerca de los ríos, los lagos, los estuarios y la costa. Se zambullen en el agua y cogen peces para comer. Son incluso adiestrados por las personas para pescar.

Políquetos

El políqueto hace una madriguera en forma de U en el fango y luego saca sus largas mandíbulas al exterior para coger a cualquier bichito que se acerque.

El políqueto tiene el cuerpo plano cubierto de cerdas.

Cazadores de la playa

Los cangrejos verdes viven en el fango de los estuarios, la orilla del mar y los riachuelos. Se comen a otros animales que viven en el fango, como los gusanos.

Los cangrejos se entierran en el fango para escapar de los pájaros.

Berberechos

Los berberechos son bivalvos, lo que significa que tienen dos conchas unidas. Cuando la marea está baja se entierran en el fango, pero cuando sube la marea y están cubiertos por agua salen a comer.

Aves zancudas

Los estuarios atraen a grandes bandadas de aves porque el fango está lleno de bichos que son todo un manjar. Cada pájaro tienen el pico de una forma diferente para coger distintos animales.

Zarapitos

Los zarapitos tienen un pico largo y curvado que introducen en el fango en busca de gusanos, gambas y cangrejos.

Patas largas

Muchas de las aves que habitan en los estuarios, como los flamencos, tienen las patas largas con las que pueden vadear por el agua en busca de comida.

Pesca con arpón

La garza tiene un pico largo y puntiagudo. Para pescar, se queda al acecho en el agua sin moverse. Cuando ve un pez, lo coge con su pico en un movimiento rápido.

Ostrero común

El ostrero común tiene un pico largo de color rojo anaranjado que usa para abrir las conchas cerradas de los berberechos y los mejillones.

Las garzas tienen un largo cuello en forma de S.

Flamenco

Pato

Pelícano

Espátula

Las formas de los picos

Los flamencos usan los picos para filtrar el agua y comerse a los animalitos que haya en ella. El pico de los patos es plano para colar los bichitos del fango. Los pelícanos tienen una bolsa bajo el pico para guardar los peces. El pico de las espátulas tiene forma de cuchara para sacar animales del fango.

Orillas rocosas

Muchas orillas están llenas de rocas que han caído de los acantilados. Estas rocas forman charcas y muchos escondrijos donde se pueden ocultar animales pequeños cuando baja la marea.

Mareas cambiantes

Dos veces al día, el océano sube por la orilla y luego vuelve a alejarse. A estos movimientos se les llama mareas. Como las mareas son cambiantes, los animales de la orilla sólo están bajo el agua parte del tiempo.

La estrella de mar tiene ventosas bajo cada brazo que emplea para caminar.

Estrella de mar

La estrella de mar se alimenta de mejillones. Para llegar al molusco, taladra agujeros en las conchas.

Lapas

Las lapas son unos pequeños animales con un duro caparazón. Cuando baja la marea se esconden en su caparazón, pero cuando están cubiertos por el agua abren el caparazón y sacan las patas para comerse los bichitos que pasan flotando.

Los blenios comen plancton, formado por diminutas plantas y animales que viven en el agua.

Peces que caminan

Los blenios son unos pequeños peces que se encuentran en las aguas poco profundas de la orilla. Usan sus aletas como si fueran patas y «caminan» hasta las rocas para protegerse del fuerte oleaje.

143

Charcas marinas

Cuando baja la marea quedan pequeñas charcas entre las rocas, en las que se refugian muchos animales a la espera de que vuelva a subir la marea: esponjas, erizos de mar, cangrejos y pececillos.

Las anémonas tienen células urticantes en los tentáculos para aturdir a sus presas antes de comérselas.

Anémonas

Las anémonas cogen a sus presas agitando sus tentáculos en el agua. Pueden retraer los tentáculos para que no se dañen.

Filtradores

En vez de una boca, las esponjas tienen diminutos agujeros en sus cuerpos que usan para comer. Aspiran agua por estos agujeros y filtran los animalitos que hay en el agua.

Cangrejos ermitaños

Los cangrejos ermitaños se instalan en caracolas vacías para resguardarse. Recubren las caracolas con restos de animales muertos para pasar desapercibidos en el lecho marino.

Un tipo espinoso

Los erizos de mar son animales en forma de bola cubiertos por espinas para protegerse. Deambulan por el lecho marino en busca de trocitos de plantas para alimentarse.

Las espinas de algunos erizos de mar tienen veneno.

Playas arenosas

Puede que parezca que las playas están desiertas cuando baja la marea, pero hay muchos animales ocultos bajo la arena.

Aspecto desierto

Cuando baja la marea los animales de la playa se entierran en la arena para refugiarse del sol, el viento y los depredadores. Cuando vuelve a subir la marea, salen otra vez.

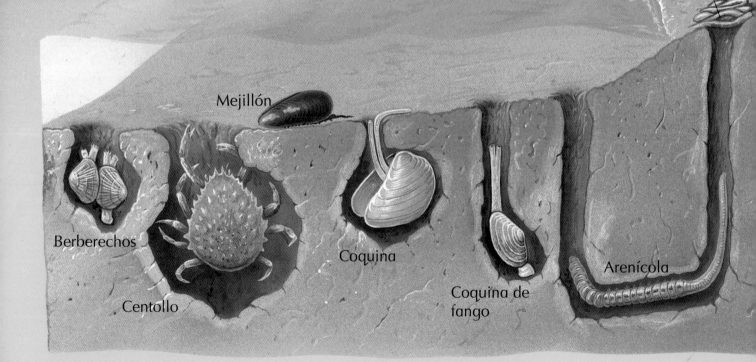

¿SABÍAS QUE...?

El Bazar de Cox en Bangladesh es la playa oceánica más larga del mundo. Tiene 120 km de largo.

Los gusanos dejan pequeños montones de arena en las entradas de sus túneles.

Mejillón

Berberechos

Centollo

Coquina

Coquina de fango

Arenícola

Dólar de arena

El dólar de arena es un tipo de erizo de mar. Vive justo bajo la superficie de la playa y escarba en la arena en busca de comida.

Mejillones

Los mejillones viven en grandes grupos en la playa. Se fijan a las rocas y entre sí con unas finas hebras llamadas barbas.

Navaja

Bosques de quelpos

El quelpo es un tipo de alga gigante que crece en los bosques submarinos en aguas poco profundas cerca de la costa. Estos enormes bosques de algas ofrecen cobijo a los peces y otras criaturas marinas.

Dentro del bosque

El quelpo gigante puede alcanzar los 60 m de longitud. Se fija al lecho marino mediante una especie de raíces llamadas rizoides. Entre los gigantes tallos de quelpo nadan miles de peces que se esconden de depredadores como el tiburón.

Garibaldis naranjas

El llamativo colorido naranja del garibaldi advierte a los otros peces del bosque para que se alejen. Los garibaldis son muy agresivos, pueden llegar incluso a atacar a los submarinistas.

Las nutrias de mar a veces utilizan piedras para abrir conchas.

Nutrias de mar

Las nutrias de mar nadan por los bosques de quelpos en busca de erizos de mar para comer. Incluso duermen en estos bosques y se enrollan en los tallos de quelpo para no salir flotando.

Águilas marinas

Las águilas marinas son unos peces con un olfato excelente que usan para buscar mejillones y otros moluscos que luego trituran con sus fuertes dientes.

Las grandes alas del águila marina pueden tener una envergadura de casi 2 m.

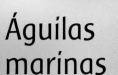

El quelpo gigante es una de las plantas de crecimiento más rápido del mundo. Cuando las condiciones son propicias pueden crecer más de 45 cm al día.

Manglares

Los manglares se encuentran en las costas cerca del ecuador, que rodea el centro de la tierra. El agua en estos pantanos es una mezcla de agua salada y dulce llamada agua salobre.

Mangle

El mangle es un árbol de aspecto extraño. Sus raíces enmarañadas actúan como zancos y sujetan al árbol por encima del agua.

Los cangrejos violinistas son pequeños, miden algo menos de 2 cm y medio.

Agitando las pinzas

El cangrejo violinista macho tiene una pinza mucho más grande que la otra. Mueve esta enorme pinza para atraer a las hembras.

Aves zancudas

Las garcetas caminan por el agua del manglar con sus largas patas removiendo el fango del fondo. Este fango atrae a peces, ranas e insectos que devoran las garcetas.

Cuando baja la marea, los saltarines del fango van por tierra de una charca a otra.

Peces terrestres

El saltarín del fango es un tipo de pez que se desplaza por la tierra además de por el agua. Usa sus aletas pectorales como si fueran patas para «caminar».

¿SABÍAS QUE...? El manglar de Sundarbans en Bangladesh e India es el más grande del mundo. Se encuentra en la desembocadura del Ganges en el océano Índico.

Arrecifes coralinos

Los arrecifes coralinos son uno de los hábitats más ricos del mundo. En ellos habitan millones de criaturas distintas, incluidos tiburones y moluscos gigantes.

Hay pólipos de coral de muchas formas y colores.

Casa de esqueletos

Los arrecifes coralinos están hechos por unos animalitos minúsculos llamados pólipos. Algunos de ellos tienen un recubrimiento duro llamado esqueleto. Cuando los pólipos se mueren quedan los esqueletos y poco a poco se va formando el arrecife.

Coral blando

Tipos de coral

Existen fundamentalmente dos tipos de pólipos de coral, el coral duro y el blando. Los duros tienen un esqueleto rígido alrededor del cuerpo y los blandos no.

Coral duro

Depredadores del arrecife

El tiburón gris es uno de los depredadores más grandes del arrecife. Algunos tiburones nadan en grupos, o manadas, en busca de peces pequeños para comer.

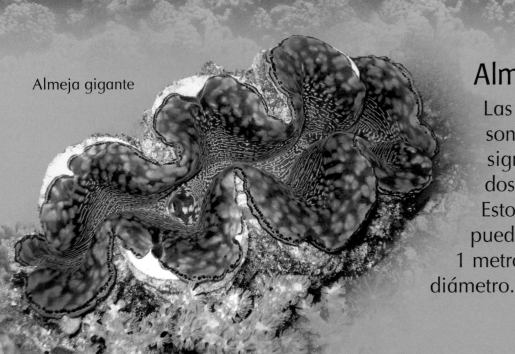

Almeja gigante

Almejas gigantes

Las almejas gigantes son bivalvos, lo que significa que tienen dos conchas unidas. Estos moluscos gigantes pueden medir más de 1 metro y medio de diámetro.

153

Peces del arrecife

En los arrecifes coralinos habitan más de 4.000 tipos distintos de peces que se alimentan de los millones de minúsculas plantas y animales que viven en el arrecife.

Grupos con colorido

El antia es un pez común en el arrecife. Suele nadar en grandes grupos, o bancos, que pueden contener miles de peces.

Pez loro

El pez loro recibe su nombre porque todos sus dientes están en la parte delantera de la boca y parece que tenga un pico de loro.

Los peces loro usan sus dientes en forma de pico para raspar el coral y comerse las minúsculas algas.

Hermoso pero peligroso

Las rayas de brillante colorido del pez león nos avisan de que éste es un animal peligroso. Sus largas espinas tienen un veneno mortal.

¿SABÍAS QUE...?

El Gran Arrecife de Coral se encuentra en la costa australiana. Con una longitud de más de 2.000 km, es la barrera coralina más grande del mundo.

La convivencia

Las anémonas tienen células urticantes en sus tentáculos, que pueden herir a la mayoría de los peces. Sin embargo, el pez payaso puede vivir entre los tentáculos porque está recubierto de una baba que lo protege.

En alta mar

Las extensas zonas de agua entre las islas y los continentes están llenos de peces, ballenas, calamares y otros animales. La mayoría de estos animales se encuentran cerca de la superficie donde hay mucha luz solar.

La boca del tiburón ballena mide 1 metro y medio de ancho.

Enorme pero inofensivo

El tiburón ballena es un pez enorme. Nada cerca de la superficie del océano filtrando el agua con su enorme boca para atrapar pequeños animales.

¿SABÍAS QUE...?

El tiburón ballena es el pez más grande de los océanos. A menudo mide más de 9 m de largo.

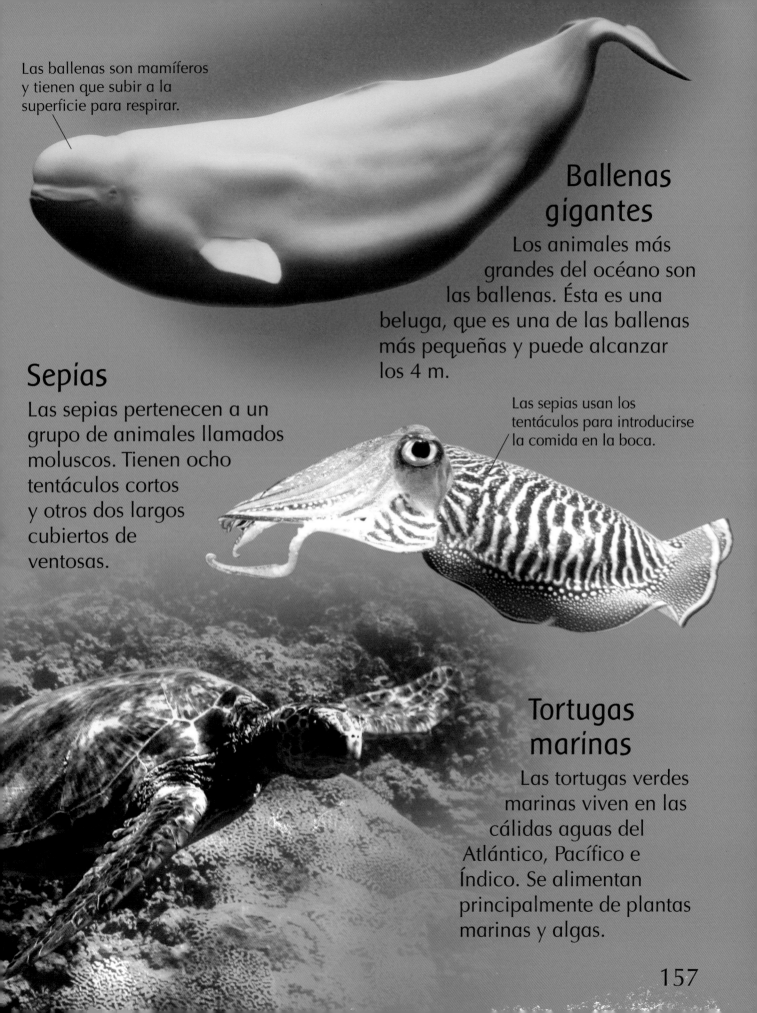

Las ballenas son mamíferos y tienen que subir a la superficie para respirar.

Ballenas gigantes

Los animales más grandes del océano son las ballenas. Ésta es una beluga, que es una de las ballenas más pequeñas y puede alcanzar los 4 m.

Sepias

Las sepias pertenecen a un grupo de animales llamados moluscos. Tienen ocho tentáculos cortos y otros dos largos cubiertos de ventosas.

Las sepias usan los tentáculos para introducirse la comida en la boca.

Tortugas marinas

Las tortugas verdes marinas viven en las cálidas aguas del Atlántico, Pacífico e Índico. Se alimentan principalmente de plantas marinas y algas.

Vida microscópica

Cerca de la superficie del océano flotan animales diminutos llamados plancton. A estos animales se los comen criaturas más grandes como el krill y los peces. El krill y los peces son a su vez devorados por animales aún más grandes como las ballenas y los delfines. Sin el plancton, no sobreviviría ninguno de ellos.

Cuando ya son los bastante grandes, las larvas de cangrejo bajan al lecho marino y crecen hasta convertirse en adultos.

Jóvenes criaturas marinas

El plancton contiene las larvas, o crías, de muchos animales incluyendo cangrejos. Los cangrejos viven en el lecho marino pero sus larvas flotan en el agua.

Los cuerpos de los alevines son casi transparentes para ser menos visibles en el agua.

Alevines

El plancton también contiene las crías, o alevines, de muchos tipos de peces, como arenques, anguilas y bacalaos. Estas crías salen de huevos que ponen los peces adultos.

Krill

El krill es un animal rosado con forma de gamba que mide hasta 15 cm de largo. Se juntan en grandes grupos llamados enjambres. Éstos pueden ser tan grandes que el agua se ve rosada.

Algunas ballenas tienen placas de barbas que miden casi 5 m.

Comedores de plancton

Muchas ballenas grandes se alimentan de krill y plancton. Se tragan el agua y filtran los animales con unas placas óseas largas que tienen en la boca llamadas barbas.

¿SABÍAS QUE...?

La hembra del krill puede poner hasta 10.000 huevos en una sola puesta varias veces al año.

Depredadores

El océano no es un lugar seguro para un animal pequeño porque hay muchos depredadores buscando su alimento. Entre los depredadores encontramos los pájaros que vuelan sobre la superficie, peces grandes como las barracudas y mamíferos como las ballenas.

Bancos de arenques

El arenque es un tipo de pez que vive en grandes bancos. Estos bancos atraen a los depredadores del océano porque hay muchos peces para comer.

Cazadores veloces

Las barracudas son unos depredadores veloces que pueden alcanzar 1,8 m de longitud. Nadan en grandes grupos en busca de algún pez que atacar.

Las barracudas nadan a más de 40 km por hora.

Lanzarse en picado

Los pelícanos sobrevuelan el océano al acecho de algún pez que se acerque a la superficie. Cuando ven uno se lanzan en picado y lo sacan del agua metido en la bolsa del pico.

Tiburones sensibles

Los tiburones tienen los sentidos muy agudizados para detectar a sus presas. Pueden oler una gota de sangre minúscula y sentir las vibraciones de un pez herido a gran distancia.

¿SABÍAS QUE...?

Los tiburones han surcado los océanos durante más de 400 millones de años.

161

Ballenas

Las ballenas pertenecen al grupo de los mamíferos. Tienen que respirar igual que los humanos y lo hacen a través de un agujero que tienen en la parte superior de la cabeza, llamado espiráculo.

Al igual que todos los mamíferos, los ballenatos se alimentan de la leche de su madre.

Ballenatos

En vez de poner huevos, las ballenas paren a las crías. En cuanto nace el ballenato, la madre lo empuja hasta la superficie para que pueda empezar a respirar.

Sobre la ballena:

- Existen principalmente dos tipos de ballenas: las dentadas, con dientes, y las barbadas que tienen placas de barbas para filtrar la comida del agua.

- Un ballenato de ballena azul bebe hasta 200 litros de leche al día, el equivalente a 600 latas de refresco.

Acrobacias

No se sabe por qué las ballenas realizan acrobacias saltando fuera del agua. Puede que sea para atraer a la pareja o para deshacerse de los animales que tienen cerca.

Orcas

Las orcas, o ballenas asesinas, viven en grupos de hasta 40 individuos. Cazan en manada, buscando peces, pájaros, calamares e incluso otras ballenas para comer.

Delfines

Los delfines son pequeñas ballenas. Poseen un hocico alargado, lleno de pequeños dientes para coger peces.

Los delfines viven en manadas reducidas.

¿SABÍAS QUE...? El animal más grande del mundo es la ballena azul, que puede alcanzar los 30 m de longitud.

En el fondo del mar

La luz solar no puede penetrar mucho por debajo de la superficie del océano. En las profundidades marinas hace frío y está oscuro, y viven muy pocos animales. Sin embargo, los que habitan aquí tienen muchas formas de conseguir el alimento que necesitan para sobrevivir.

Pez víbora

El pez víbora tiene la boca llena de colmillos largos y afilados que utiliza para capturar y agarrar firmemente a las presas para que no escapen.

Anguila engullidora

Esta anguila tiene una boca enorme y un estómago flexible. Así puede tragar animales casi tan grandes como ella.

¿SABÍAS QUE...?

Los científicos han descubierto un calamar que es aún más grande que el calamar gigante. El calamar colosal puede alcanzar los 20 m de longitud, más que dos autobuses.

Gigantes de las profundidades

Los cachalotes se zambullen hasta las profundidades oceánicas en busca de su plato favorito: el calamar gigante. Algunos cachalotes tienen cicatrices en el cuerpo de peleas encarnecidas con calamares gigantes.

El calamar gigante alcanza los 13 m de largo.

De pesca

El pejesapo de las profundidades tiene una bombilla resplandeciente suspendida sobre su cabeza, que utiliza para atraer a otros peces. Si los peces se acercan demasiado, ¡el pejesapo los engulle!

La vida en el lecho marino

El lecho marino está cubierto por una gruesa capa de fango viscoso y restos de animales muertos. La mayoría de los animales que viven aquí se alimentan de estos restos de cadáveres y por ello se les llama carroñeros.

Bajo el lecho marino hay rocas al rojo vivo que calientan el agua.

Animales de agua caliente

En algunos océanos hay chimeneas por las que sale agua caliente. Cerca de ellas viven animales como los gusanos tubícolas y mejillones gigantes.

Mejillones

Gusanos tubícolas

¿SABÍAS QUE...?

El cangrejo más grande del mundo es el centollo japonés, que puede alcanzar los 3,5 m de diámetro, más del doble de dos personas adultas.

Granaderos

Los granaderos tienen el cuerpo corto, cola larga y boca y ojos grandes. Cazan crustáceos y otros peces para comer, pero también comen cadáveres.

Ofiuras

Las ofiuras están emparentadas con las estrellas de mar. Tienen unos brazos muy largos que utilizan para moverse por el fondo.

Los brazos de la ofiura miden hasta 60 cm de largo.

Algunos centollos pueden vivir más de 100 años.

Centollos

Los centollos tienen unas patas larguísimas, parecidas a las de las arañas. Recorren lentamente el fondo en busca de crustáceos y animales muertos para comer.

167

Salvar la fauna

Decimos que un animal está «en peligro de extinción» cuando quedan muy pocos individuos vivos. Por ejemplo, el tigre está en peligro de extinción porque sólo quedan unos cuantos miles en libertad. Un animal se extingue cuando el último ejemplar se muere. Por desgracia, muchos miles de especies animales están en peligro y cientos de ellas desaparecen cada año.

La extinción

Los animales se extinguen por distintos motivos. Por ejemplo, si el clima se vuelve más cálido, puede que el animal no sea capaz de sobrevivir a este cambio.

Animales ancestrales

Los cocodrilos son unos animales antiguos que ya existían en la época de los dinosaurios. A diferencia de éstos, los cocodrilos han sobrevivido. Entre otros animales ancestrales que aún existen hoy están los caimanes y las tortugas.

Los dinosaurios, como el *Tyrannosaurus rex*, no fueron capaces de sobrevivir con el nuevo clima.

Lagartos temibles

Los dinosaurios desaparecieron hace 65 millones de años. Se extinguieron porque el clima de la Tierra cambió. No pudieron sobrevivir a este cambio y por lo tanto desaparecieron.

¿SABÍAS QUE...?

En 2006 la Unión Mundial para la Conservación publicó una lista de 16.119 animales, plantas y hongos que podrían extinguirse.

Exterminados

El dodó era un tipo de ave que no volaba y vivía en la Isla de Mauricio, en el océano Índico. Se extinguieron en el siglo XVII porque los humanos los cazaron en exceso.

Amenazados

Muchos animales que conocemos bien podrían extinguirse en los próximos diez años más o menos, incluido el oso panda, el tigre y el rinoceronte negro. Algunos ejemplares subsisten en parques nacionales y zoos donde están protegidos.

La conservación

El mejor modo de salvar un animal en peligro de extinción es conservar, o proteger, su hábitat. Para ello se pueden crear parques naturales y evitar la contaminación ambiental.

Observación de aves

La personas pueden observar animales en zonas protegidas. Este edificio es un observatorio y se utiliza para observar aves sin molestarlas.

Observación de animales

Algunos países africanos, como Sudáfrica y Tanzania han convertido grandes extensiones de su territorio en cotos de caza y parques nacionales en los que los animales viven protegidos de la contaminación y de los cazadores humanos.

Muchos turistas visitan los cotos de caza y los parques nacionales para ver los animales.

¿SABÍAS QUE...?

El parque nacional de Yellowstone en los Estados Unidos fue el primer parque nacional del mundo. Se creó en 1872.

Limpieza

Todo el mundo puede ayudar a proteger los hábitats de los animales. La basura puede perjudicar a los animales, por eso estas personas están limpiando esta charca.

Agricultura ecológica

Muchos agricultores usan productos químicos llamados pesticidas y fertilizantes para sus cultivos. Estos productos pueden dañar la flora y la fauna. La agricultura ecológica no utiliza estos productos, por lo que no perjudica a los animales.

Estos cerdos de una granja ecológica pueden campar a sus anchas.

173

Especies protegidas

Algunos animales se han salvado de la extinción, porque las personas han dejado de matarlos y los han criado en zoológicos para aumentar el número de ejemplares.

El bisonte europeo está emparentado con el búfalo americano.

Cazados por la piel

Los osos marinos árticos se cazaban por su piel y hacia principios del siglo XX casi se habían extinguido. En 1911, los que mataban a los osos marinos acordaron dejar de cazarlos, y desde entonces el número de éstos ha aumentado.

Bisonte europeo

Debido a la caza, el bisonte europeo desapareció en estado salvaje en 1927. Sin embargo, unos 50 bisontes vivían en zoos donde se reprodujeron. Ahora se han reintroducido ejemplares de bisontes en los bosques de Polonia y Rusia.

El nené

El nené o ganso de Hawai sólo se encuentra en estas islas. En 1949 quedaban menos de 30. Algunos fueron capturados y llevados a centros de cría en distintas partes del mundo. Ahora, hay más de 1.000 ejemplares en estado salvaje.

¿SABÍAS QUE...?

El takahe es un ave que no vuela y que vive en Nueva Zelanda. En 1898, se creía que se había extinguido, pero fue redescubierto 50 años más tarde.

Tití león de cabeza dorada

En 1984 quedaban menos de 100 titís león de cabeza dorada en los bosques de Brasil. Por suerte, se han criado en zoológicos y se han reintroducido en su hábitat.

Todos los grupos

Para identificar y nombrar los millones de
criaturas que existen en el mundo, los científicos
agrupan a los animales según su estructura.
De este modo, por ejemplo, los animales con seis
patas pertenecen al grupo de los insectos y los
que tienen plumas al de las aves. Podemos
averiguar a qué grupo pertenece un animal
si estudiamos sus rasgos.

Agrupar los animales

Todos los animales forman el reino animal que está dividido en dos grupos, que a su vez se dividen en grupos cada vez más pequeños. Un animal en concreto, como el oso polar, es lo que llamamos una especie.

Los osos polares pertenecen al grupo de animales llamados mamíferos.

Con o sin columna vertebral

Los animales se dividen en los que no tienen columna vertebral (invertebrados) y los que tienen (vertebrados). Cada uno de estos grupos está subdividido en grupos menores. Los vertebrados se dividen en peces, anfibios, reptiles, aves y mamíferos.

¿Qué es un oso polar?

🐾 Pertenece al reino animal.

🐾 Es vertebrado (tiene columna vertebral).

🐾 Es mamífero (las madres amamantan).

🐾 Es un oso (un tipo de mamífero).

🐾 Es un oso polar (su nombre común).

Ala

Las aves tienen pico, un esternón grande y alas.

Esternón

La mayoría de los mamíferos, como los gatos, tienen cuatro patas.

¿Qué hay dentro?

Los científicos estudian el interior del cuerpo de los animales para ver a qué grupo pertenecen. Por ejemplo, distintos tipos de animales tienen esqueletos de formas diferentes.

Los reptiles, como los cocodrilos, tienen el cráneo alargado.

Apariencia exterior

A veces se puede saber a qué grupo pertenece un animal a simple vista. Por ejemplo, las aves tienen el cuerpo cubierto de plumas, los mamíferos suelen estar cubiertos de pelo y los reptiles tienen escamas.

Un tiburón es un pez. Tiene aletas en vez de patas, agallas en lugar de pulmones y está cubierto de escamas.

Aleta

Agallas

179

Anémonas:

🐾 Las anémonas tienen un anillo de brazos o tentáculos alrededor de la boca.

🐾 Estos tentáculos urticantes pueden picar a otros animales. Las anémonas los usan para coger la comida y llevársela a la boca.

Esponjas, anémonas y medusas

Las esponjas, anémonas y medusas son invertebrados, o animales sin columna vertebral. Viven en el agua y tienen un cuerpo tubular abierto por uno de los extremos.

Boca

Tentáculos

Éstos son gusanos tubícolas. Pueden alcanzar casi 1 m.

Esponjas:

🐾 Las esponjas no se pueden mover, permanecen fijas al lecho marino.

🐾 Para comer aspiran el agua a través de unos agujeros y filtran los diminutos animales y plantas.

Medusas:

- 🐾 La parte superior del cuerpo de la medusa tiene forma de campana de la cual cuelgan tentáculos urticantes.

- 🐾 Comen pequeños animales y plantas que cogen con los tentáculos.

Gorgonías:

- 🐾 Las gorgonias están formadas por millones de diminutos pólipos que parecen anémonas minúsculas.

- 🐾 Las gorgonias se encuentran en los mares cálidos y alcanzan los 3 m.

El coral asta de ciervo recibe su nombre porque parece la cornamenta de un ciervo.

Corales duros:

- 🐾 Los corales duros tienen un esqueleto que permanece cuando el animal se muere. Los esqueletos acumulados forman los arrecifes coralinos.

- 🐾 Los corales asta de ciervo pueden crecer 20 cm por año.

Gusanos

Los gusanos son animales sin columna vertebral. Muchos viven en el agua, y otros bajo tierra. Los gusanos que viven dentro del cuerpo de otros animales se llaman parásitos.

Lombrices:

* Las lombrices son un tipo de gusano segmentado. Sus cuerpos están divididos en partes llamadas segmentos.

* Las lombrices comen hojas muertas y en descomposición, que arrastran hasta los túneles que hacen en la tierra.

Las tenias usan unos ganchos afilados para clavarse en el intestino de animales.

Tenías:

* Las tenias son parásitos que viven en los intestinos de otros animales. Se alimentan de la comida del otro animal.
* Algunos tipos de tenias pueden alcanzar los 15 m de longitud.

Nemátodos:

- Los nemátodos viven en la tierra y en el agua, y también dentro de otros animales.

- La mayoría de los nemátodos son demasiado pequeños para ser vistos. Los más largos miden 7,5 m y viven en las ballenas.

Las gorgonias agitan sus tentáculos en el agua para atrapar cualquier cosa comestible que pase.

Serpúlidos:

- Son gusanos segmentados que viven en galerías que escarban en el fango del lecho marino.

- Cuando los serpúlidos quieren comer sacan los tentáculos por el extremo del tubo.

Arenícolas:

- Las arenícolas viven en el fango de las playas y cerca de las desembocaduras de los ríos. Hacen galerías en el fango.

- Aspiran agua hacia la galería y filtran las partículas de comida.

183

Insectos

Los insectos pertenecen a un grupo muy grande de animales llamados artrópodos. Los insectos adultos tienen el cuerpo dividido en tres partes: cabeza, una parte central llamado tórax, y una parte final llamada abdomen. Todos tienen seis patas.

Pulgas:

- Las pulgas son parásitos, es decir, que viven sobre otros animales de los cuales se alimentan.

- Con sus patas traseras pueden saltar 150 veces la longitud de sus cuerpos.

Mariposas:

- Existen más de 17.500 especies distintas, o tipos, de mariposa.

- Las mariposas tienen dos pares de alas. Cada par está unido por unos minúsculos ganchos, por lo que aletean a la vez.

Esta mariposa rey tiene una cola ahorquillada, igual que una golondrina.

Cucarachas:

- La cucaracha es uno de los insectos más antiguos de la Tierra. Existen desde hace más de 320 millones de años.

- Las cucarachas tienen un cuerpo largo y aplanado cubierto de un duro esqueleto exterior.

Ojo

Libélulas:

- Las libélulas tienen dos pares de alas que suelen ser transparentes. Muchas tienen un abdomen largo y delgado.

- Las libélulas tienen unos grandes ojos que les permiten ver alrededor.

Las libélulas tienen las alas abiertas cuando descansan.

Abdomen   Tórax   Cabeza

Hormigas:

- La hormiga tiene la cabeza grande y un abdomen largo y ovalado unido al tórax por una estrecha cintura.

- La mayoría de las especies de hormigas viven en grupos numerosos llamados colonias.

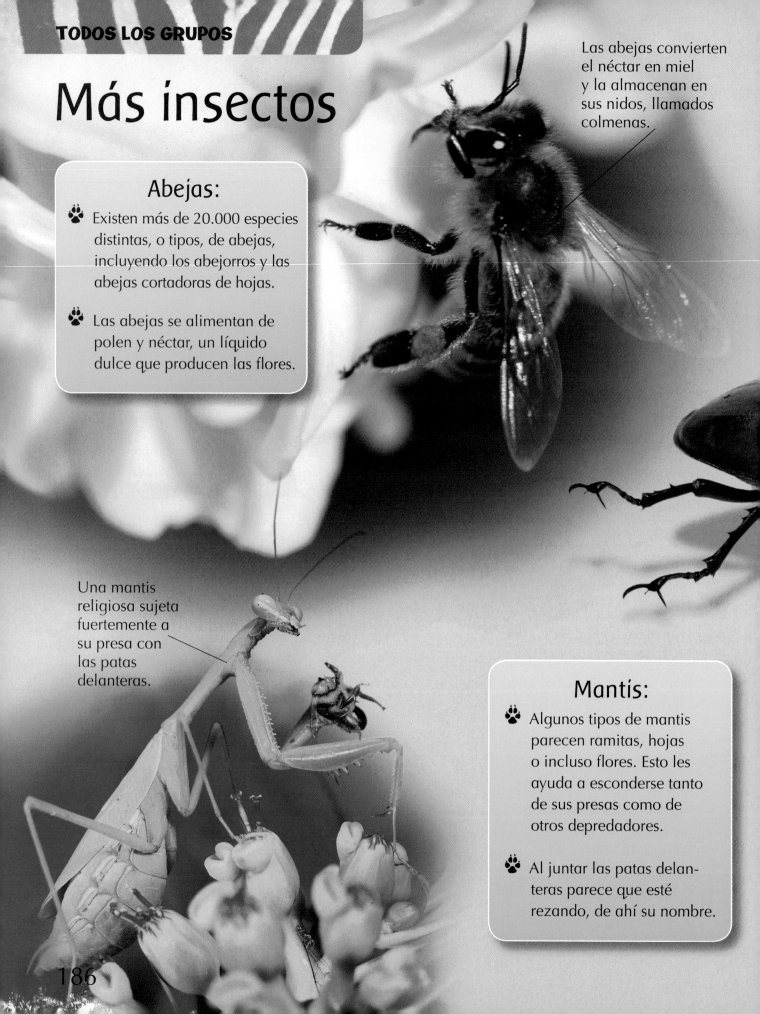

Más insectos

Las abejas convierten el néctar en miel y la almacenan en sus nidos, llamados colmenas.

Abejas:

🐾 Existen más de 20.000 especies distintas, o tipos, de abejas, incluyendo los abejorros y las abejas cortadoras de hojas.

🐾 Las abejas se alimentan de polen y néctar, un líquido dulce que producen las flores.

Una mantis religiosa sujeta fuertemente a su presa con las patas delanteras.

Mantis:

🐾 Algunos tipos de mantis parecen ramitas, hojas o incluso flores. Esto les ayuda a esconderse tanto de sus presas como de otros depredadores.

🐾 Al juntar las patas delanteras parece que esté rezando, de ahí su nombre.

186

Maríquitas:

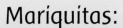 Las mariquitas tienen un dibujo llamativo en rojo, amarillo o negro. Son un tipo de insecto llamado escarabajo.

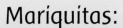 Son importantes para los jardines y cultivos porque comen pulgones, unos insectos diminutos que pueden dañar las plantas.

Las mariquitas son venenosas para los pájaros y pequeñas lagartijas.

Ciervo volador:

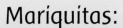 El ciervo volador recibe su nombre por las enormes mandíbulas que recuerdan a la cornamenta de un ciervo.

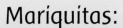 Estas mandíbulas miden más de la mitad de la longitud total del ciervo volador.

Los ciervos voladores usan sus enormes mandíbulas para pelearse.

Las franjas negras y amarillas de la avispa avisan a los otros animales de que pica.

Avíspas:

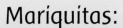 Muchos tipos de avispas viven juntos. Sólo algunas especies viven en solitario, como las avispas cazadoras de arañas.

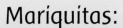 Los avisperos están hechos de papel que las avispas fabrican masticando madera.

187

Crustáceos

Un crustáceo tiene el cuerpo cubierto por un duro caparazón llamado exoesqueleto. La mayoría de los crustáceos viven en el agua, pero algunos son terrestres.

Cangrejos:

- Los cangrejos viven en el mar, en la tierra y en los ríos. Sus cuerpos están protegidos por un caparazón.

- Las patas delanteras se han convertido en grandes pinzas que usan para sujetar objetos y a sus presas.

Gambas:

- Existen unos 2.000 tipos de gambas. Sus largos cuerpos están recubiertos de un caparazón transparente.

- Todas las gambas nadan hacia atrás moviendo el cuerpo y la cola.

Cochinillas:

- Viven en la tierra, normalmente en lugares oscuros y húmedos, donde comen madera en descomposición.

- Algunas cochinillas se hacen una bola para protegerse.

Pulgas de agua:

- Las pulgas de agua, como las dafnias, viven en el agua dulce de ríos y lagos, pero algunas viven en el mar.

- La gran mayoría es demasiado pequeña para ser vista a simple vista; pero algunas pueden medir más de 1 cm.

Las dafnias agitan las antenas para desplazarse por el agua.

Langostas:

- Tienen cinco pares de patas. Por lo menos un par de ellas termina en una pinza llamada quelícero.

- Las langostas pueden caminar por el lecho marino o nadar por el agua moviendo su larga cola.

Ciempiés y milpiés

Los milpiés y los ciempiés tienen un cuerpo largo dividido en muchos segmentos, o partes. Los milpiés tienen dos pares de patas por segmento, mientras que los ciempiés tienen uno.

Ciempiés:

* Existen más de 5.000 tipos distintos de ciempiés. Suelen vivir en los bosques, entre la hojarasca, excepto las escutigeras que pueden pasarse toda la vida en el interior de un edificio.

* Todos los ciempiés son venenosos y usan su veneno para matar a sus presas.

Las escutigeras tienen unas patas largas que les permiten correr muy deprisa.

Ciempiés gigante:

* Éstos son los ciempiés más grandes. Algunos pueden alcanzar los 30 cm.

* Son depredadores. Salen de noche en busca de sus presas, que pueden incluir vertebrados como los ratones.

190

Milpiés:

 A diferencia de los ciempiés, los milpiés no son depredadores, sino que comen plantas.

 Para protegerse los milpiés se enrollan fuertemente. Algunos tipos de milpiés liberan un líquido apestoso que ahuyenta a los depredadores.

Milpiés gigante:

 Los milpiés gigantes pueden alcanzar los 40 cm de longitud y el grosor de tu pulgar.

 Los milpiés más grandes tienen más de 100 segmentos en el cuerpo.

Glomeris:

 Los glomeris son mucho más cortos que otros milpiés y a veces se confunden con las cochinillas.

 Cuando se sienten amenazados, se hacen una bola para protegerse.

Algunos tipos de milpiés saltan casi 3 cm cuando son atacados.

Arácnidos

Este grupo de animales incluye a las arañas, escorpiones, ácaros y garrapatas. Los arácnidos tienen ocho patas y su cuerpo sólo tiene dos partes, un cefalo-tórax (la unión de cabeza y tórax) y un abdomen separado.

Arañas tejedoras:

🐾 Muchos arañas fabrican hilos de seda. Con la seda algunas hacen telarañas pegajosas para atrapar a sus presas.

🐾 Algunas arañas se comen las telarañas al final del día cuando ya no son pega-josas, y luego hacen telarañas nuevas.

Las arañas que hacen telarañas enrollan a la presa con su seda antes de comérsela.

La viuda negra posee uno de los venenos más potentes del mundo.

Arañas venenosas:

🐾 Estas arañas usan su veneno para herir o matar a otros animales. La picadura de unos 200 tipos de arañas puede causar dolor o incluso la muerte a una persona.

🐾 La araña puede decidir si inyecta veneno o no al morder.

192

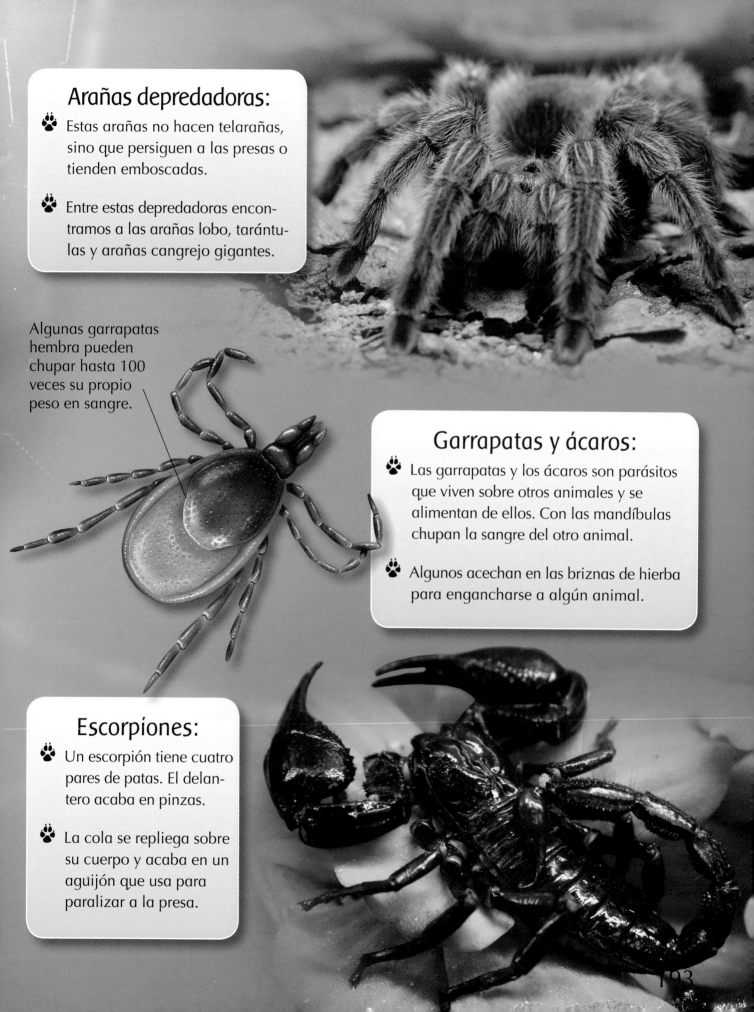

Arañas depredadoras:

- Estas arañas no hacen telarañas, sino que persiguen a las presas o tienden emboscadas.

- Entre estas depredadoras encontramos a las arañas lobo, tarántulas y arañas cangrejo gigantes.

Algunas garrapatas hembra pueden chupar hasta 100 veces su propio peso en sangre.

Garrapatas y ácaros:

- Las garrapatas y los ácaros son parásitos que viven sobre otros animales y se alimentan de ellos. Con las mandíbulas chupan la sangre del otro animal.

- Algunos acechan en las briznas de hierba para engancharse a algún animal.

Escorpiones:

- Un escorpión tiene cuatro pares de patas. El delantero acaba en pinzas.

- La cola se repliega sobre su cuerpo y acaba en un aguijón que usa para paralizar a la presa.

Moluscos

Los moluscos son invertebrados, lo que significa que no tienen columna vertebral. Presentan o bien un caparazón en el exterior del cuerpo o bien los restos de un caparazón dentro del cuerpo.

La sepia puede cambiar de color para esconderse de los depredadores.

Sepias:

- Las sepias están emparentadas con los pulpos y los calamares. Tienen un caparazón dentro del cuerpo.

- Tienen ocho tentáculos cortos y ocho largos, que usan para coger a las presas. Nadan marcha atrás expulsando el agua del cuerpo a chorros.

Almejas:

- Las almejas son bivalvas, lo que significa que tienen dos conchas unidas con una bisagra para que se puedan abrir y cerrar.

- Pueden medir más de 90 cm y pesar más de 200 kg.

Lapas:

- Estos moluscos tienen un caparazón en forma de cono y viven en las rocas de la costa.

- Se desplazan lentamente por las rocas, alimentándose de algas. Cuando baja la marea, las lapas bajan el caparazón y se aferran a las rocas.

Babosas marinas:

- Muchas babosas marinas son de colores vivos, lo que advierte de que son venenosas.

- Se alimentan de otros animales, incluyendo esponjas y a veces otras babosas marinas.

El caracol se desplaza estirando su largo pie.

Caracoles:

- Los caracoles tienen caparazones helicoidales y viven tanto sobre la tierra como en los lagos, ríos y el mar.

- Cuando se siente amenazado, el caracol se repliega en su caparazón y cierra la entrada con una tapa llamada opérculo.

Estrellas, erizos y pepinos de mar

Estas criaturas pertenecen al grupo de los equinodermos. Viven en el mar, y pueden hallarse tanto en la costa, como en el fondo o en los arrecifes coralinos. No tienen ojos, cerebro ni corazón.

La estrella de mar puede regenerar cualquier pata que pierda.

Pepinos de mar:

🐾 Estos bichos con forma de babosa tienen una piel correosa o con pinchos y pueden medir más de 2 m.

🐾 Cuando son atacados algunos tipos de pepino de mar lanzan hilos pegajosos para despistar al agresor.

Estrellas de mar:

🐾 Existen más de 1.800 tipos distintos de estrellas de mar. Suelen tener cinco brazos fijados a la parte central del cuerpo.

🐾 Algunos tipos tienen hasta 50 brazos.

Estrellas girasol:

- Se trata de un tipo de estrella de mar que tiene entre 8 y 18 brazos y puede medir hasta 35 cm de diámetro.

- Se desplaza por el lecho marino en busca de crustáceos y otras estrellas para comer.

Erizos de mar:

- Los erizos de mar son animales en forma de bola cubiertos de púas.

- Se esconden en grietas entre las rocas y gracias a las púas, a los depredadores les cuesta mucho cogerlos y sacarlos.

Dólares de arena:

- Son un tipo de erizo con el cuerpo aplanado en forma de moneda.

- Viven en la playa y se entierran en la arena cuando baja la marea.

Peces de agua salada

Los peces son vertebrados, o animales con columna vertebral. Viven en el agua y respiran con las agallas. Los que viven en el mar están adaptados al agua salada.

Agallas

Tiburones:

* La mayoría de los tiburones son depredadores y cazan presas como peces y cangrejos. Algunos no son cazadores, sino que se alimentan de plantas y plancton.

* El esqueleto del tiburón es de una sustancia flexible llamada cartílago.

Rayas:

* Tienen el cuerpo aplanado y nadan aleteando con los flancos, como si fuesen alas de pájaro.

* Algunas rayas tienen púas venenosas en la cola, con las que se protegen cuando se sienten amenazados.

Anguilas:

- Existen unos 400 tipos distintos, o especies, de anguilas. Estos peces tienen el cuerpo alargado como las serpientes.

- Algunas anguilas, como esta morena, acechan a sus presas en agujeros en aguas poco profundas.

Los dragones de mar tienen aletas largas y pliegues de piel en el cuerpo para que parezcan trozos de algas.

Dragones de mar:

- Están emparentados con los caballitos de mar. Usan sus largas aletas para desplazarse lentamente por el agua en busca de comida.

- Pueden alcanzar los 45 cm de longitud.

Peces ángel:

- Vive en los arrecifes coralinos de los océanos Índico, Atlántico y Pacífico.

- Tiene el cuerpo plano, aletas largas y una boca pequeña. El dibujo del cuerpo cambia a medida que envejece.

199

Peces de agua dulce

Los peces de agua dulce viven en ríos, arroyos y lagos. Hay muy pocos peces que sean capaces de vivir tanto en agua dulce como salada.

Pirañas:

- Las pirañas viven en los lagos y ríos de Sudamérica y pueden alcanzar los 60 cm.

- Cazan en manada y atacan a otros animales, arrancando pedazos de carne con sus dientes como cuchillas.

Los dientes de la piraña encajan como si fueran las hojas de unas tijeras.

Peces gato:

- Los peces gato tienen antenas alrededor de la boca que parecen los bigotes de un gato y se llaman barbillas.

- Usan las barbillas para buscar comida bajo el fango del lecho de los ríos.

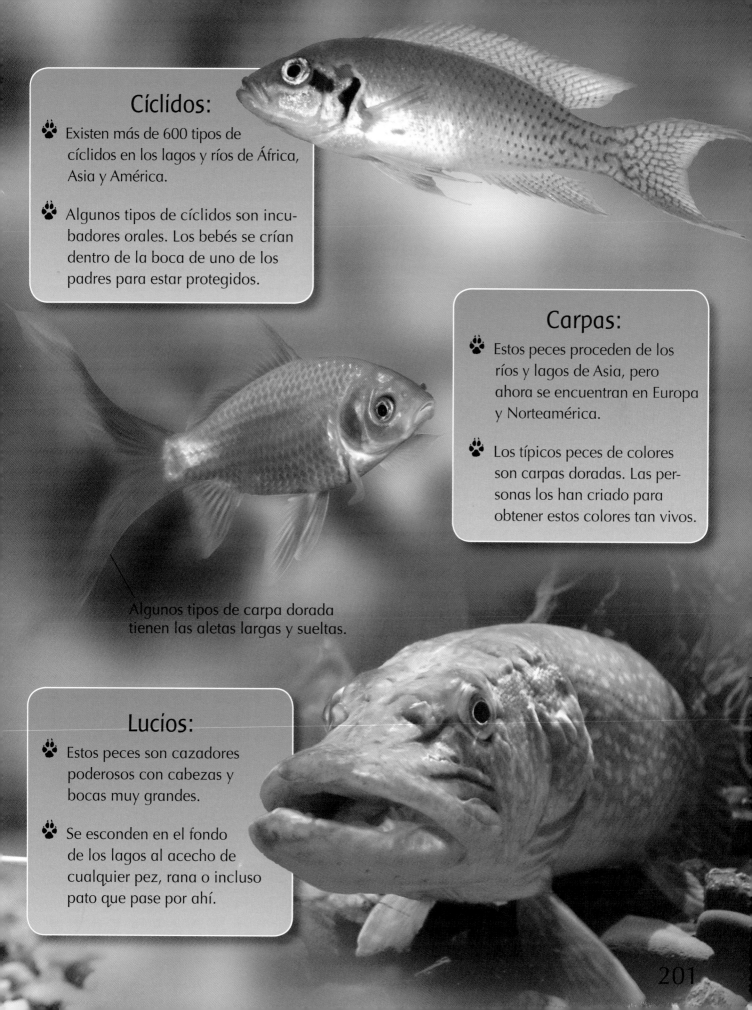

Cíclidos:

- Existen más de 600 tipos de cíclidos en los lagos y ríos de África, Asia y América.

- Algunos tipos de cíclidos son incubadores orales. Los bebés se crían dentro de la boca de uno de los padres para estar protegidos.

Carpas:

- Estos peces proceden de los ríos y lagos de Asia, pero ahora se encuentran en Europa y Norteamérica.

- Los típicos peces de colores son carpas doradas. Las personas los han criado para obtener estos colores tan vivos.

Algunos tipos de carpa dorada tienen las aletas largas y sueltas.

Lucíos:

- Estos peces son cazadores poderosos con cabezas y bocas muy grandes.

- Se esconden en el fondo de los lagos al acecho de cualquier pez, rana o incluso pato que pase por ahí.

Anfibios

Los anfibios son animales que cuando son adultos viven en tierra pero vuelven al agua para poner los huevos. Sus crías crecen en el agua, pero salen a la tierra cuando son adultos.

Ranas flecha:

🐾 Estas ranas son muy pequeñas pero muy venenosas. Su colorido brillante alerta a los otros animales.

🐾 Habitan en los bosques de Sudamérica, donde cazan insectos y otras criaturas pequeñas.

Tritones:

🐾 El tritón tiene el cuerpo largo y delgado con una cola alargada y aplanada.

🐾 Si un tritón pierde una pata o incluso un ojo, le crece la parte que le falta. A esto se le llama regeneración.

Sapos:

- Existen unas 300 especies, o tipos, de sapo. Comen insectos y otros animalitos, que atrapan con la lengua.

- Algunos tipos de sapo tienen un veneno que puede paralizar o incluso matar a un agresor.

Salamandras:

- Las salamandras están emparentadas con los tritones. Viven en los ríos, lagos y bosques en las zonas templadas.

- La salamandra más grande es la salamandra gigante, que puede medir más de 60 cm.

Ranas:

- Las ranas tienen patas largas, ideales para saltar, y palmeadas, para nadar bien.

- Tienen la piel lisa y se desplazan a saltos, mientras que los sapos tienen la piel cubierta de verrugas y caminan.

Reptiles

Los reptiles son unos animales de piel escamosa. Algunos tipos de reptiles pasan mucho tiempo en el agua, pero todos ponen los huevos en la tierra.

Tortugas acuáticas:

🐾 Las tortugas pueden esconder la cabeza y las patas dentro de su caparazón para protegerse.

🐾 Se encuentran en lagos, ríos y en mares cálidos. Algunas tortugas marinas pueden nadar grandes distancias, de casi 500 km en tan solo 10 días.

Los cocodrilos pegan las patas al cuerpo cuando nadan en el agua.

Caimanes:

🐾 Estos reptiles tienen el cuerpo largo con patas cortas y cola larga con la que se impulsan por el agua. Se alimentan de peces, pequeños mamíferos y pájaros.

🐾 Los caimanes tienen el morro ancho y los cocodrilos estrecho.

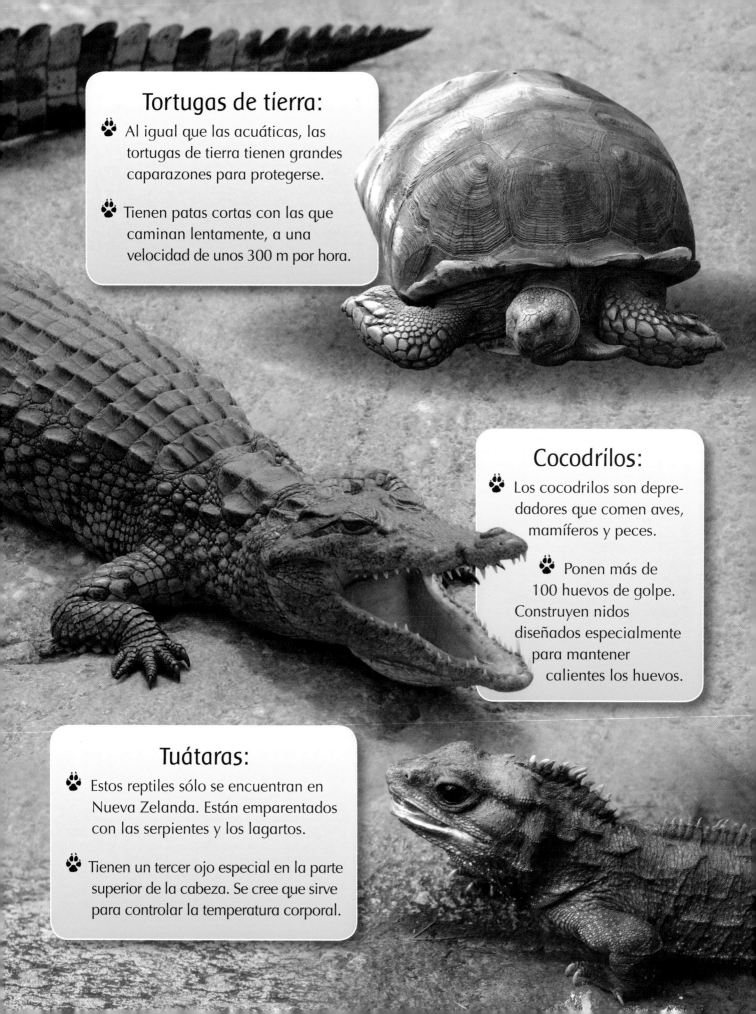

Tortugas de tierra:

🐾 Al igual que las acuáticas, las tortugas de tierra tienen grandes caparazones para protegerse.

🐾 Tienen patas cortas con las que caminan lentamente, a una velocidad de unos 300 m por hora.

Cocodrilos:

🐾 Los cocodrilos son depredadores que comen aves, mamíferos y peces.

🐾 Ponen más de 100 huevos de golpe. Construyen nidos diseñados especialmente para mantener calientes los huevos.

Tuátaras:

🐾 Estos reptiles sólo se encuentran en Nueva Zelanda. Están emparentados con las serpientes y los lagartos.

🐾 Tienen un tercer ojo especial en la parte superior de la cabeza. Se cree que sirve para controlar la temperatura corporal.

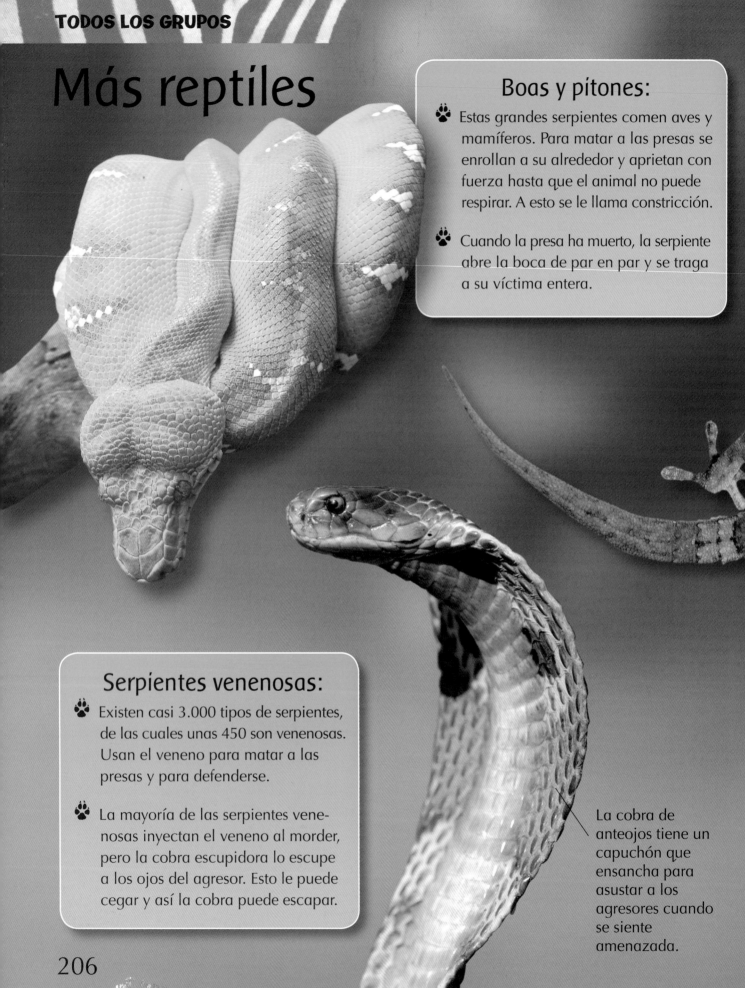

Más reptiles

Boas y pítones:

- Estas grandes serpientes comen aves y mamíferos. Para matar a las presas se enrollan a su alrededor y aprietan con fuerza hasta que el animal no puede respirar. A esto se le llama constricción.

- Cuando la presa ha muerto, la serpiente abre la boca de par en par y se traga a su víctima entera.

Serpientes venenosas:

- Existen casi 3.000 tipos de serpientes, de las cuales unas 450 son venenosas. Usan el veneno para matar a las presas y para defenderse.

- La mayoría de las serpientes venenosas inyectan el veneno al morder, pero la cobra escupidora lo escupe a los ojos del agresor. Esto le puede cegar y así la cobra puede escapar.

La cobra de anteojos tiene un capuchón que ensancha para asustar a los agresores cuando se siente amenazada.

Iguanas:

- Las iguanas son un tipo de reptil llamado lagarto. Un 95 por ciento de los reptiles son lagartos.

- Las iguanas tienen garras largas para trepar por los troncos de los árboles.

Gecos:

- Los gecos son un tipo de lagarto que come insectos.

- Sus patas están cubiertas de finos pelos que les permiten subir por las paredes e incluso sujetarse al techo.

Los gecos sueles salir de noche y hacen un ruido que parece un parloteo.

Debido a su brillante colorido, los agamas se llaman también lagartos arco iris.

Lagartos agama:

- Los agamas son un tipo de lagarto que se encuentra en toda África.

- Por el día, los agamas toman el sol y sus colores se vuelven más brillantes a medida que se calientan. De noche se vuelven de un apagado color marrón.

207

Aves

Las aves son animales que ponen huevos y cuyos cuerpos están recubiertos de plumas. Todas las aves tienen dos alas, incluso las que no vuelan.

Garceta

Garzas:

- Las garzas pertenecen a un grupo de aves que incluye a las garcetas.

- Son aves zancudas que tienen largas patas para andar por el agua en busca de peces.

El avestruz puede cocear con sus largas patas si es atacado.

Aves que no vuelan:

- Existen varios tipos de aves que no vuelan, como los pingüinos y emús entre otros.

- Los avestruces son las aves más grandes del mundo. Tienen patas muy largas y pueden correr a 60 km por hora.

Pelícanos:

 El pelícano tiene un pico largo con una bolsa en la parte inferior. Con esta bolsa saca a los peces del agua.

 Los pelícanos pardos se lanzan desde el aire para atrapar a los grupos de peces.

Las gaviotas usan sus grandes alas para planear por el aire.

Gaviotas:

 Existen 40 especies, o tipos, de estas grandes aves marinas de patas palmeadas.

 Buscan comida en las playas. Se alimentan de gusanos, crustáceos, e incluso basura. Las gaviotas más grandes se comen los huevos y las crías de otros pájaros.

Los cisnes usan sus largos cuellos para llegar al fondo del río y comer plantas acuáticas.

Aves de caza:

 Las aves de este grupo incluyen a los patos, los gansos y los cisnes. Todos tienen patas palmeadas y pueden tanto nadar como flotar en el agua.

 Sus plumas están recubiertas de una grasa que impide que absorban agua, lo que les haría hundirse.

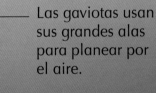

Más aves

El martín pescador aguarda en las ramas sobre los arroyos, en busca de peces en el agua.

Martín pescador:

- Los martines pescadores son aves con cabeza grande y pico largo y afilado. Comen peces, que cogen zambulléndose en el agua.

- Existen unas 90 especies distintas, o tipos, de martín pescador en todo el mundo.

Los mirlos erizan las plumas para parecer más grandes cuando se sienten amenazados.

Aves cantoras:

- Existen unas 4.000 especies de aves que cantan. Sus cantos van desde las melodías de los mirlos a los graznidos de los cuervos.

- Los pájaros cantan para atraer a la pareja y para defender su territorio.

Loros:

- Este grupo incluye a los guacamayos, cacatúas, cotorras y periquitos.

- Muchos tipos de loros pueden imitar el habla humana y repetir frases sencillas.

Colibríes:

- Los colibríes son los únicos pájaros que pueden volar hacia atrás.

- Usan su largo pico para llegar al néctar dulce de las flores.

El guacamayo jacinto es el loro volador más grande.

Este halcón tiene la vista muy aguda y puede divisar a las presas cuando se mueven desde grandes distancias.

Rapaces:

- Las rapaces son unas aves poderosas con pico en forma de gancho y patas con garras muy afiladas.

- Entre las rapaces están las águilas, los halcones y los búhos. Se alimentan de pequeños mamíferos y peces.

11

Mamíferos

Los mamíferos son animales cuyos cuerpos están cubiertos de pelo. La mayoría pare a sus crías en vez de poner huevos. Las hembras producen leche para alimentar a las crías.

Ornitorrincos:

🐾 El ornitorrinco es un animal raro porque es un mamífero que pone huevos.

🐾 Tiene el pico como el del pato, patas palmeadas para nadar mejor y unas espuelas venenosas en las patas traseras para defenderse.

Bolsa marsupial

Canguros:

🐾 Los canguros pertenecen al grupo de mamíferos llamados marsupiales. Las marsupiales hembras tienen una bolsa donde llevan a las crías.

🐾 Existen más de 300 tipos de marsupiales, incluyendo koalas y zarigüeyas.

Roedores:

🐾 Los roedores son el grupo más grande de mamíferos. Existen casi 3.000 especies de roedores.

🐾 Los roedores incluyen a las ratas, ratones y las enormes capibaras, que son del tamaño de un perro grande.

Animales que comen insectos:

🐾 Son los llamados insectívoros, entre los que encontramos los erizos, las musarañas y los topos.

🐾 Comen insectos y otros animalitos.

Primates:

🐾 Existen 100 especies de primates, incluyendo los monos, los simios y los humanos.

🐾 Los gorilas son los primates más grandes. Pueden pesar hasta 225 kg, el equivalente de 3 personas.

Más mamíferos

Las ballenas mueven la cola de arriba a abajo para desplazarse por el agua.

Ballenas:

🐾 Las ballenas pertenecen al grupo de mamíferos llamados cetáceos. Tienen cuerpos alargados como los peces y sus patas delanteras se han transformado en aletas.

🐾 La ballena azul necesita comer casi 4 toneladas de krill al día, prácticamente lo que pesan 3 coches familiares.

Rinocerontes:

🐾 Son mamíferos con cascos y uno o dos cuernos sobre el hocico.

🐾 Existen cinco tipos, o especies, de rinocerontes que viven en África, India y el sudeste asiático.

Los rinocerontes tienen la piel muy dura.

Leones:

- Los leones pertenecen al grupo de mamíferos llamados carnívoros.

- Poseen grandes colmillos y largas garras. Los machos tienen una melena abundante alrededor de la cabeza y el cuello.

Melena

Ciervos:

- Existen unas 30 especies distintas de ciervos. Todos son herbívoros y se alimentan de hierba, ramitas, corteza y brotes tiernos.

- Los ciervos más grandes son los alces, que pueden medir más de 2 m de alto.

Osos:

- Existen 9 especies de osos, incluyendo a los osos polares, los pardos, los grizzly y los malayos.

- La mayoría de los osos son carnívoros, pero también comen hormigas, semillas, abejas, frutos secos y bayas.

Algunas palabras útíles

❖ **Abrevadero**

Hoyo en el suelo donde se acumula el agua y permanece gran parte del año.

❖ **Acuático**

Algo que vive en el agua.

❖ **Aerodinámico**

Algo que es muy liso, de forma estrecha y alargada, y puede moverse por el aire o el agua con muy poco esfuerzo.

❖ **Agallas**

Las partes que usan los peces y otros animales acuáticos para ayudarles a respirar bajo el agua.

❖ **Aleta**

Parte del cuerpo de un pez que usa para nadar.

❖ **Alevín**

La cría del pez.

❖ **Ave**

Animal con columna vertebral que tiene el cuerpo recubierto de plumas y alas en vez de brazos.

❖ **Baba**

Sustancia viscosa de algunos animales.

❖ **Banco**

Grupo de peces que nadan juntos.

❖ **Caducifolios**

Plantas que pierden las hojas en determinados momentos del año y que luego sacan hojas nuevas.

❖ **Camuflaje**

Dibujo que permite que el animal se confunda con el entorno.

❖ **Carnívoro**

Animal que come carne.

❖ **Carroñero**

Animal que se alimenta de animales muertos.

❖ **Colmillo**

Diente extralargo que tienen algunos animales como los elefantes y los jabalíes verrugosos.

❖ **Colonia**

Grupo de animales que viven juntos en un hábitat compartido.

❖ **Comportamiento**

Todo lo que hace el animal, como el modo en que se alimenta o se mueve.

Conífera
Árbol con hojas en forma de aguja.

Crustáceo
Animal sin columna vertebral que tiene el cuerpo recubierto por un esqueleto exterior.

Depredador
Animal que caza y se alimenta de otros animales.

Desierto
Zona donde llueve muy poco. En el desierto sólo pueden sobrevivir unos pocos animales y plantas.

Dosel
Las hojas o ramas de los árboles que forman una cobertura o capa por encima del resto del bosque.

Ecuador
Una línea imaginaria que recorre el centro de la Tierra.

En peligro de extinción
Especie de la cual quedan tan pocos ejemplares que corre el riesgo de desaparecer para siempre.

Escama
Láminas que recubren el cuerpo de algunos animales como los reptiles y los peces.

Esqueleto
Los pilares del cuerpo, lo que lo sujeta. Algunos esqueletos se encuentran dentro del cuerpo y otros fuera.

Estiércol
Los excrementos de los animales.

Estuario
Lugar donde se encuentra el río con el mar y donde el agua dulce se mezcla con el agua salada.

Extinto
Especie de animal o de planta que ya no existe.

Freza
Los huevos de los anfibios o los peces. El acto de poner los huevos.

Hábitat
El nombre que se le da al lugar donde vive un animal o una planta.

Herbívoro
Animal que se alimenta de plantas.

Hibernación
Estado de sueño profundo que permite a algunos animales sobrevivir en invierno.

Impermeable
Superficie que no deja penetrar el agua.

❧ Incubación
Mantener a los huevos calientes para que las crías se desarrollen bien.

❧ Insecto
Animal sin columna que tiene el cuerpo dividido en tres partes, con tres pares de patas y normalmente dos pares de alas.

❧ Invertebrado
Animal que no tiene columna vertebral.

❧ Larva
La cría de un insecto o de otros invertebrados. Por ejemplo, la larva de la mariposa es la oruga.

❧ Mamífero
Animal con columna vertebral que suele tener pelo en la piel. Las hembras de mamíferos producen leche para alimentar a las crías.

❧ Manglar
Zona costera en las partes cálidas del mundo donde crecen árboles en el fango.

❧ Metamorfosis
Un cambio en la forma del cuerpo que ocurre cuando una larva se hace adulta.

❧ Microscópico
Demasiado pequeño para poderse ver a simple vista.

❧ Migración
Viaje habitual que hace un animal.

❧ Molusco
Animal de cuerpo blando que suele tener un caparazón exterior.

❧ Nocturno
Cuando un animal está activo durante la noche y descansa durante el día.

❧ Órgano sensorial
Parte del sistema nervioso que es capaz de detectar cambios en el entorno, como los ojos y los oídos.

❧ Oruga
El nombre que se le da a la larva de una mariposa o polilla.

❧ Pastizales
Un tipo de hábitat donde predominan las hierbas y que tiene muy pocos árboles.

❧ Plancton
Los diminutos animales y plantas que se encuentran flotando cerca de la superficie de las charcas, los lagos y los mares.

❧ Planear
Moverse por el aire con muy poco esfuerzo.

♣ Polar

Relacionado con las zonas que rodean al Polo Norte y al Polo Sur.

♣ Presa

Animal que es cazado o pescado por otro animal.

♣ Rapaz

Ave de presa, es decir, que caza otros animales.

♣ Reciclar

Volver a utilizar algo, como el papel o las botellas de vidrio.

♣ Reptil

Animal con columna vertebral que tiene cuatro patas y el cuerpo recubierto de escamas. Las hembras ponen huevos de cáscara dura y flexible.

♣ Sabana

Otro nombre que se le da a los pastizales que se encuentran en las zonas cálidas del planeta.

♣ Templado

Clima suave y con cuatro estaciones que tienen ciertas zonas del mundo.

♣ Tentáculo

Estructura larga y delgada que tienen algunos animales, como las anémonas y los calamares.

♣ Tropical

Clima de las zonas del mundo que están cerca del ecuador, por el centro de la Tierra, donde hace calor todo el año.

♣ Vertebrado

Animal que tiene columna vertebral.

SITIOS WEB

http://animal.discovery.com/
Sección sobre los animales del Discovery Channel.

http://kids.nationalgeographic.com/
La sección infantil de Nacional Geographic.

www.faunaiberica.org
Todo sobre la fauna ibérica.

www.wwf.es
WWF/Adena es la sección española de una de las mayores organizaciones mundiales dedicadas a la conservación de la naturaleza.

http://natureduca.com
Portal educativo de Ciencias Naturales y Aplicadas.

Índice

Agradecimientos

Ilustraciones de Myke Taylor, The Art Agency

Créditos fotográficos:

Cover: Elephant: Martin Harvey: Gallo Images/Corbis. Parrot: Theo Allofs/Corbis. Giraffe: Martin Harvey/Corbis.

1 Dreamstime.com/David Davis, 2-3 Corbis/Kevin Schafer, 4 a. Dreamstime.com/Richard Gunion, 5 ab. dcha. Dreamstime.com/Asther Lau Choon Siew, 6 ar. izda. Dreamstime.com/Kiyoshi Takahase Segundo, 6 a. dcha. Dreamstime.com/Fred Goldstein, 6 c. izda. Dreamstime.com/Carolyne Pehora, 6-7 c. Digital Vision, 6 a. Dreamstime.com/Ian Scott, 7 a. dcha. Dreamstime.com/Sanja Stepanovic, 7 ab. Dreamstime.com/Wei Send Chen, 8-9 Corbis/Gallo Images, 10 ab. izda. Dreamstime.com/Johannes Gerhardus Swanepoel, 11 a. dcha. Dreamstime.com/Vaida Petreikiene, 11 c. Dreamstime.com, 11 ab. Dreamstime.com/Stephen Inglis, 12 ab. dcha. Dreamstime.com, 12-13 Dreamstime.com/Andre Nantel, 13 a. Dreamstime.com/Radu Razvan, 13 c. Dreamstime.com/Vladimir Ivanov, 14 ar. izda. Dreamstime.com, 14 ab. Dreamstime.com/Mark Karasek, 15 a. dcha. Dreamstime.com/Vladimir Kindrachov, 15 ab. Dreamstime.com, 16 a. Dreamstime.com/Tomas Hajek, 16 ab. Dreamstime.com, 17 c. Dreamstime.com, 17 ab. Dreamstime.com/Steffen Foerster, 18 Dreamstime.com/Stuart Elflett, 18 ab. Dreamstime.com/George Bailey, 19 a. Dreamstime.com/Bartlomiej Kwieciszewski, 19 c. Dreamstime.com, 19 ab. Dreamstime.com, 20 c. Dreamstime.com/Anna Kowalska, 20 ab. izda. Dreamstime.com, 21 ab. dcha. Dreamstime.com, 22 a. Dreamstime.com/David Hyde, 22 ab. Digital Vision, 23 a. Digital Vision, 23 ab. Digital Vision, 24-25 Corbis/Kennan Ward, 26 a. Tall Tree Ltd, 26 ab. Dreamstime.com, 27 a. Tall Tree Ltd, 27 c. Dreamstime.com, 28 ar. izda. Dreamstime.com/Phil Date, 28 ab. dcha. Dreamstime.com/Kathy Wynn, 29 a. dcha. Dreamstime.com , 29 c. Tall Tree Ltd, 29 ab. Dreamstime.com/Michael Ledray, 30 ar. izda. Dreamstime.com, 30 ab. dcha. Dreamstime.com/Christopher Marin, 31 a. Dreamstime.com/David Davis, 31 ab. Dreamstime.com, 32-33 Dreamstime.com, 33 ab. dcha. Dreamstime.com, 34 a. Tall Tree Ltd, 34 ab. Dreamstime.com/Mike Evans, 35 a. Dreamstime.com/Ferenc Cegledi, 35 ab. Dreamstime.com, 36 ab. Dreamstime.com, 37 a. dcha. Dreamstime.com/Graça Victoria, 37 c. Dreamstime.com/Tze Roung Tan, 38-39 Dreamstime.com/Stefan Ekernas, 38 ab. izda. Dreamstime.com, 39 c. Digital Vision, 39 dcha. Dreamstime.com, 40 ab. Dreamstime.com/Andre Maritz, 40-41 Dreamstime.com, 41 a. Dreamstime.com, 41 ab. dcha. Dreamstime.com/Steffen Foerster, 42-43 Corbis, 42 ab. Digital Vision, 43 a. dcha. Dreamstime.com, 43 ab. dcha. Dreamstime.com, 44 ar. izda. Dreamstime.com/Michael Pettigrew, 44-45 Dreamstime.com/Craig Ruaux, 45 dcha. Digital Vision, 46-47 Dreamstime.com/Chris Fourie, 46 ab. Dreamstime.com/Steve Meyfroidt, 47 a. Dreamstime.com, 47 ab. Dreamstime.com/Laura Frankel, 48-49 Dreamstime.com/Vladimir Pomortsev, 48 ab. Dreamstime.com/Michael Schofield, 49 a. Dreamstime.com, 49 ab. Dreamstime.com/Alexander Putyata, 50 ar. izda. Dreamstime.com/Steve Schowiak, 50 ab. Dreamstime.com/Vladimir Pomortsev, 51 a. Dreamstime.com, 51 ab. Digital Vision, 52-53 Dreamstime.com, 53 a. Dreamstime.com/Stephen McSweeny, 54 Dreamstime.com/Dario Diament, 55 a. Dreamstime.com/Julija Mezecka, 55 ab. Dreamstime.com/Keith Naylor, 56-57 Dreamstime.com/Tyler Olson, 56 ab. Dreamstime.com/Michael West, 57 ab. Dreamstime.com/Ken Griffith, 58 a. Digital Vision, 58 ab. Dreamstime.com/Joe Gough, 59 a. Dreamstime.com, 59 ab. Dreamstime.com/Andreas Steinbach, 60-61 Dreamstime.com, 61 a. Dreamstime.com, 61 ab. dcha. Dreamstime.com, 62 ar. izda. Dreamstime.com/Bob Wolverton, 63 c. Dreamstime.com/Gary Unwin, 63 ab. Dreamstime.com/Pavel Gribkov, 64 ar. izda. Dreamstime.com, 64 ab. dcha. Dreamstime.com, 65 a. Dreamstime.com, 65 ab. Dreamstime.com/Ruta Saulyte-laurinaviciene, 66 ar. izda. Digital Vision, 66 ab. izda. Digital Vision, 67 a. Dreamstime.com/Robert Hambley, 67 ab. Dreamstime.com/Jorge Felix Costa, 68 a. Dreamstime.com/Martina Berg, 68 ab. Dreamstime.com/Gumenuk Vitalij, 69 Dreamstime.com/Edite Artmann, 70 ar. izda. Dreamstime.com/Gumenuk Vitalij, 70 ab. dcha. Dreamstime.com, 71 a. Dreamstime.com/Michael Pettigrew, 71 ab. Corbis/Roger Tidman, 72 a. dcha. Dreamstime.com, 72 ab. Dreamstime.com/Bruce Macqueen, 73 a. dcha. Dreamstime.com, 73 ab. dcha. Dreamstime.com, 74 ab. Dreamstime.com/Tony Campbell, 75 a. Digital Vision, 75 c. dcha. Dreamstime.com/Robert Hambley, 75 ab. dcha. Dreamstime.com, 76 Dreamstime.com, 77 Dreamstime.com/Ryhor Zasinets, 78 ar. izda. Dreamstime.com, 78 ab. dcha. Dreamstime.com, 79 ar. izda. Dreamstime.com/Bruce Macqueen, 79 ab. dcha. Dreamstime.com, 80 ar. izda. Dreamstime.com/Sergey Anatolievich, 80 c. Dreamstime.com/Gail Johnson, 80 ab. izda. Dreamstime.com/Sergey Anatolievich, 81a. Dreamstime.com/Aaron Whitney, 81 ab. Dreamstime.com/Maggie Dziadkiewicz, 82 a. Dreamstime.com/Anthony Hathaway, 82 ab. Dreamstime.com/Steffen Foerster, 83 a. Dreamstime.com, 83 ab. Dreamstime.com/Holger Wulschlaeger, 84 ab. izda. Dreamstime.com/Geoffrey Kuchera, 84-85 Dreamstime.com/Lauren Jones, 85 a. Dreamstime.com/Roy Longmuir, 86 Dreamstime.com/Carolyne Pehora, 87 a. Dreamstime.com/Anthony Hathaway, 87 ab. Dreamstime.com/Kathleen Struckle, 88 a. Dreamstime.com/Alexander Putyata, 88 ab. Dreamstime.com/Jan Will, 88 a. Dreamstime.com/Alexander Putyata, 88 ab. Dreamstime.com/Bernard Breton, 90 a. Dreamstime.com/Bernard Breton, 91 a. Dreamstime.com/Bernard Breton, 91 ab. Dreamstime.com/Neil Wigmore, 92 a. Dreamstime.com/Peter Mautsch, 92 ab. izda. Dreamstime.com/Martina Berg, 92 ab. dcha. Dreamstime.com, 93 a. dcha. Dreamstime.com/Richard McDowell, 93 ab. izda. Dreamstime.com/Marilyn Barbone, 94 a. Tall Tree Ltd, 94 ab. Dreamstime.com/Nicola Gavin, 95 a. Dreamstime.com/Xavier Marchant, 95 c. izda. Dreamstime.com/Wael Hamdan, 95 ab. dcha. Dreamstime.com/Piotr Bieniecki, 96 Dreamstime.com, 97 ab. dcha. Corbis/DK Limited, 98 c. Dreamstime.com/Glen Gaffney, 98 ab. Dreamstime.com, 99 ar. izda. Dreamstime.com/Mike Carlson, 99 ab. dcha. Dreamstime.com/Vladimir Pomortsev, 100 Dreamstime.com/Rick Parsons, 101 ar. izda. Dreamstime.com/Keith Yong, 101 a. dcha. Dreamstime.com/Kaleb Timberlake, 101 ab. dcha. Dreamstime.com/Sascha Burkard, 102-103 Corbis/Steve Kaufman, 104 ab. izda. Digital Vision, 104 c. Digital Vision, 105 a. Dreamstime.com, 105 ab. Dreamstime.com/John Sfondilias, 106 Digital Vision, 107 a. dcha. Dreamstime.com/Willie Manalo, 107 ar. izda. Digital Vision, 107 ab. dcha. Dreamstime.com/Kiyoshi Takahase Segundo, 108 a. Dreamstime.com/Robert Cocquyt, 109 a. Dreamstime.com/Matt Ragen, 109 ab. Dreamstime.com/Stephen Inglis, 110 a. Digital Vision, 110 ab. Dreamstime.com/Roy Longmuir, 111 ab. dcha. Dreamstime.com/Linda Bucklin, 112 ar. izda. Digital Vision, 112 ab. Dreamstime.com/Ivan Chuyev, 113 ar. izda. Dreamstime.com/Vaida Petreikiene, 113 ab. dcha. Digital Vision, 114 c. Dreamstime.com/Scott Impink, 114 ab. izda. Dreamstime.com/Johannes Gerhardus Swanepoel, 115 a. dcha. Digital Vision, 115 ab. Digital Vision, 116 Corbis, 117 a. dcha. Dreamstime.com/Angela Farley, 117 c. izda. Dreamstime.com, 117 ab. izda. Dreamstime.com/Paul Cowan, 118 ar. izda. Dreamstime.com/Geza Farkas, 119 Dreamstime.com/Adam Booth, 120 a. dcha. Digital Vision, 120 ab. Dreamstime.com/Bobby Deal, 121 a. dcha. Dreamstime.com/Fred Goldstein, 121 ab. dcha. Dreamstime.com/Sanja Stepanovic, 122-123 Dreamstime.com/Elaine Davis, 122 ab. Dreamstime.com, 123 ab. Dreamstime.com/Geza Farkas, 124 a. dcha. Dreamstime.com/Nico Smit, 125 dcha. Dreamstime.com/Alice Dehaven, 126-127 Corbis/Jeffrey L. Rotman, 128 c. Dreamstime.com/Ellen McIlroy, 129r Digital Vision, 129 ab. Dreamstime.com, 130 a. Dreamstime.com/Mike Brake, 130 ab. Dreamstime.com/Michael L., 131 a. Dreamstime.com/Dallas Powell, jr., 131 ab. Dreamstime.com/Holger Leyrer, 132 ab. Dreamstime.com/Daniel Slocum, 133 a. Dreamstime.com/Michael Thompson, 133 ab. Dreamstime.com/David Hyde, 134-135 Dreamstime.com/Andrei Contiu, 134 ab. Dreamstime.com/Bruce MacQueen, 136 a. Dreamstime.com/Chris Schlosser, 136 ab. Corbis/Dale C. Spartas, 137 ar. izda. Dreamstime.com/Richard Merwin, 137 ab. Digital Vision, 138 ar. izda. NASA, 138 ab. izda. Dreamstime.com/Anita Huszti, 139 c. Dreamstime.com/Sergey Khachatryan, 139 ab. dcha. Dreamstime.com/Joseph Helfenberger, 140 a. dcha. Dreamstime.com/Caroline Henri, 140 ab. Digital Vision, 141 ar. izda. Dreamstime.com/Stefan Ekernas, 141 ab. dcha. Dreamstime.com/Christina Craft, 142 iStockphoto.com, 142 ab. Dreamstime.com/Jamie Wilson, 143 a. Dreamstime.com/Stuart Key, 142 ab. Dreamstime.com/Uwe Ohse, 144 Dreamstime.com, 145 a. dcha. Dreamstime.com/Asther Lau Choon Siew, 145 c. izd. Dreamstime.com/Asther Lau Choon Siew, 145 ab. dcha. Dreamstime.com/Daniela Spyropoulou, 147 a. Dreamstime.com, 147 ab. dcha. Dreamstime.com/Jay Prescott, 148 a. Dreamstime.com/Jeff Waibel, 148 ab. Dreamstime.com, 149 a. dcha. Dreamstime.com, 149 ab. dcha. Dreamstime.com, 150 a. Dreamstime.com/Daniel Gustavsson, 150 ab. Dreamstime.com/Anthony Hall, 151 dcha. Dreamstime.com/Humberto Ortega, 152-153 Dreamstime.com/Matthias Weinrich, 152 ab. izda. Dreamstime.com/Asther Lau Choon Siew, 152 ab. dcha. Dreamstime.com/Asther Lau Choon Siew, 153 a. Dreamstime.com/Ian Scott, 152 ab. Dreamstime.com/Asther Lau Choon Siew, 154 a. Dreamstime.com/Asther Lau Choon Siew, 154 ab. Dreamstime.com/Ian Scott, 155 c. Dreamstime.com/Wei Send Chen, 155 ab. Dreamstime.com/Andrea Leone, 156 a. Dreamstime.com/Harald Bolten, 157 a. Dreamstime.com/Jeremy Bruskotter, 157 c. Dreamstime.com, 157 ab. Dreamstime.com, 159 ab. Corbis, 160 Dreamstime.com/Asther Lau Choon Siew, 161 a. Dreamstime.com/Steve Weaver, 161 ab. Dreamstime.com/Ian Scott, 162-163 Dreamstime.com/Brett Atkins, 163 a. Dreamstime.com/Jason Vandehey, 163 ab. dcha. Digital Vision, 168-169 Dreamstime.com/Wang Sanjun, 170 Dreamstime.com/Fah mun Kwan, 171 ab. dcha. Dreamstime.com/Nico Smit, 172 a. dcha. Dreamstime.com/Steven Pike, 172 ab. Dreamstime.com/Steffen Foerster, 173 a. Digital Vision, 172 ab. Dreamstime.com/John Bloor, 174 a. dcha. Dreamstime.com/Anthony Hathaway, 174 ab. izda. Dreamstime.com/Jostein Hauge, 175 a. iStockphoto.com, 175 ab. dcha. Dreamstime.com/Ethan Kocak, 176-177 Corbis/Kevin Schafer, 178 Dreamstime.com/Anthony Hathaway, 179 a. todas Dreamstime.com, 179 ab. Dreamstime.com, 180 a. Dreamstime.com/Robert Gubiani, 180 ab. Dreamstime.com/Dennis Sabo, 181 a. Dreamstime.com/Cathy Figuli, 181 c. Dreamstime.com, 181 ab. Dreamstime.com/Asther Lau Choon Siew, 182 a. Dreamstime.com/Dusty Cline, 184 a. Dreamstime.com/Carolina K. Smith m.d., 184 ab. Dreamstime.com/Richard Gunion, 185 a. Dreamstime.com/Joao Estevao Andrade de Freitas, 185 c. Dreamstime.com/Paul Cowan, 185 ab. Dreamstime.com/Marek Kosmal, 186 a. Dreamstime.com/Marie Jeanne, 186 ab. Digital Vision, 187 a. Dreamstime.com/Frederic Roux, 187 c. Dreamstime.com/Oleksiy Lebedynskiy, 187 ab. Dreamstime.com, 188 a. Dreamstime.com/Nico Smit, 188 ab. Dreamstime.com, 189 a. Dreamstime.com/Simone van den Berg, 189 ab. Dreamstime.com/Uzi Hen, 190 a. Dreamstime.com/Joao Estevao Andrade de Freitas, 191 a. Dreamstime.com/Wichittra Srisunon, 192 a. Dreamstime.com/Fulvio Evangelista, 192 ab. Dreamstime.com/Dawn Allyn, 193 a. Dreamstime.com/Caroline Henri, 193 ab. Dreamstime.com, 194 a. Dreamstime.com/Rayna Canedy, 194 ab. Dreamstime.com/Asther Lau Choon Siew, 195 a. Dreamstime.com/Tom Davison, 195 c. Dreamstime.com/Asther Lau Choon Siew, 195 ab. Dreamstime.com/Martina Misar, 196 a. Dreamstime.com/Asther Lau Choon Siew, 196 ab. Dreamstime.com/Asther Lau Choon Siew, 197 a. Dreamstime.com/Robert Daniels, 197 c. Dreamstime.com/Kelly Bates, 197 ab. Dreamstime.com/James Hearn, 198 a. Dreamstime.com/Ian Scott, 198 ab. Dreamstime.com/Asther Lau Choon Siew, 199 a. Dreamstime.com/John Abramo, 199 c. Dreamstime.com/Johnny Lye, 199 ab. Dreamstime.com/Asther Lau Choon Siew, 200 a. Dreamstime.com/Pamela Hodson, 200 ab. Dreamstime.com/Feng Yu, 201 a. Dreamstime.com/Dallas Powell, jr., 201 c. Dreamstime.com/Heidi Hart, 201 ab. Dreamstime.com/Tim Haynes, 202 ar. izda. Dreamstime.com/Steffen Foerster, 202 ab. Dreamstime.com/Holger Leyrer, 203 a. Dreamstime.com/Dmitrii Korovin, 203 c. Dreamstime.com/Anita Huszti, 203 ab. Dreamstime.com/Lukáš Hejtman, 204 ar. izda. Dreamstime.com/Hannu Liivaar, 204 ab. Dreamstime.com/Paul Wolf, 205 a. Dreamstime.com/Darren Baker, 205 c. Dreamstime.com/Gert Very, 205 ab. Dreamstime.com/Andy Heyward, 206 ar. izda. Dreamstime.com, 206 ab. Dreamstime.com, 207 a. Dreamstime.com/Michael Klenetsky, 207 c. Dreamtime.com/Alex Bramwell, 207 ab. Dreamstime.com/Christian Kahler, 208 a. Dreamstime.com/Michael Johansson, 208 ab. Dreamstime.com/Xavier Marchant, 209 a. Dreamstime.com/Laurin Rinder, 209 c. Dreamstime.com/Heather Craig, 209 ab. Dreamstime.com, 210 a. Dreamstime.com/Johannes Gerhardus Swanepoel, 210 ab. Dreamstime.com/Brian Lambert, 211 ar. izda. Dreamstime.com/Kimberly Clark, 211 a. dcha. Dreamstime.com/Olga Bogatyrenko, 211 ab. Dreamstime.com/Nico Smit, 212 ab. Dreamstime.com, 213 a. Dreamstime.com/Roger Whiteway, 213 c. Dreamstime.com, 213 ab. Dreamstime.com/Martina Berg, 214 ab. Dreamstime.com/Larry Powell, 215 a. dcha. Dreamstime.com/Christine Mercer, 215 c. Digital Vision, 215 ab. Dreamstime.com/William Sarver